Geen paniek

Van Lee Child zijn verschenen:

DE JACK REACHER-THRILLERS

1 Jachtveld

2 Lokaas

3 Tegendraads

4 De bezoeker

5 Brandpunt

6 Buitenwacht

7 Spervuur

8 De vijand

9 Voltreffer

10 Bloedgeld

11 De rekening

12 Niets te verliezen

13 Sluipschutter

14 61 uur

15 Tegenspel

16 De affaire

17 Achtervolging

18 Ga nooit terug

19 Persoonlijk

20 Daag me uit

21 Onder de radar

22 Nachthandel

23 Verleden tijd

24 Blauwe maan

25 De wachtpost
(met Andrew Child)

26 Liever dood dan levend
(met Andrew Child)

27 Geen plan B

28 Het geheim

29 In de val

DE JACK REACHER-VERHALEN

Op doorreis (bundel)

De held (non-fictie)

Lee Child

Geen paniek

Vertaald door Betty Klaasse

LUITINGH-SIJTHOFF

Oorspronkelijke titel *Safe Enough*
Vertaling Betty Klaasse
Omslagontwerp DPS design & prepress studio
Omslagbeeld DPS design & prepress studio / Arcangel
Opmaak binnenwerk Crius Group, Hulshout

ISBN 978 90 210 5158 1
ISBN 978 90 210 5159 8 (e-book)
ISBN 978 90 210 5227 4 (luisterboek)
NUR 332

www.leechild.com
www.lsuitgeverij.nl
www.boekenwereld.com

Uitgeverij Luitingh-Sijthoff vindt het belangrijk om op milieuvriendelijke en verantwoorde wijze met natuurlijke bronnen om te gaan. Bij de productie van dit boek is daarom gebruikgemaakt van papier waarvan het zeker is dat dit niet tot bosvernietiging heeft geleid.

Voor mijn oude vriend Otto Penzler, die met dit idee kwam

Woord vooraf

Begin jaren negentig werkte ik al zo'n vijftien jaar in de televisiewereld, maar er hing verandering in de lucht en ik wist dat de geldkraan ooit zou worden dichtgedraaid. Dus wat te doen? Ik had al een tijdje een vaag plan om boeken te gaan schrijven, maar dat vergat ik steeds, omdat ik het van dag tot dag en maand tot maand nog steeds erg druk had. Maar zoals Hemingway schreef over zijn faillissement: eerst kwam het einde langzaam, maar toen ineens heel snel. De ene dag was ik een ervaren regisseur, de volgende dag was ik werkloos.

Het was tijd om het reserveplan in werking te stellen.

Ik had mezelf op mijn derde leren lezen en sinds ik op mijn vierde de stap naar boeken zonder plaatjes had gemaakt, had ik zo'n tienduizend boeken en verhalen gelezen. Inmiddels had ik veertigduizend uur televisie achter de rug, zowel dramaproducties als documentaires. Ik had een goed gevoel ontwikkeld voor populair entertainment, voor de patronen en de principes ervan, voor wat het grote publiek wil, waarom kijkers op een bepaalde manier reageren, en waarom sommige dingen succes hebben en andere niet. Ik was bekend met beroepen waarbij een agent betrokken is en ging ervan uit dat acquirerende redacteuren bij uitgeverijen vergelijkbaar zouden zijn met *commissioning producers* in de tv-wereld. Ik had verstand van promotie en publiciteit. Lezen was mijn grote passie en ik geloofde dat de combinatie van persoonlijke interesse en algemene entertainmentervaring me zou helpen. Ik had de harde les geleerd dat de showbizz geen garanties biedt, maar over het algemeen geloofde ik wel dat ik als schrijver een redelijke kans had op succes. Waarschijnlijk evenveel kans als ieder ander, en misschien wel een grotere kans dan sommigen. Ik was voorbereid. Ik had er goed over nagedacht. Ik had het gevoel dat ik het allemaal op een rijtje had. Ik was er klaar voor.

Maar aan korte verhalen had ik geen seconde gedacht.

Ik wist natuurlijk wat het waren. Ik had er honderden met plezier gelezen. Goede korte verhalen waren als kleine, ingewikkelde, perfect gevormde juweeltjes, als Fabergé-eieren. Sommige korte verhalen leven al tientallen jaren in mijn geheugen en zullen dat ongetwijfeld voor altijd blijven doen. Maar het was nooit bij me opgekomen om ze zelf te schrijven. Ik had het gevoel dat boeken en korte verhalen niets met elkaar te maken hadden en dat ze door totaal verschillende personen werden geschreven. Ik had nooit gedacht dat een genre-auteur als ik zou worden gevraagd om zich aan beide te wagen.

Ik voltooide mijn eerste boek en stopte het in de molen, waar het gelukkig geaccepteerd werd en klaargemaakt voor publicatie, zo'n anderhalf jaar later. Mijn plan was om elk jaar een boek te publiceren en dat hield uiteraard in dat ik ook elk jaar een boek moest schrijven. Om aan mijn publicatieschema te voldoen, besteedde ik die tussenliggende anderhalf jaar aan het schrijven van mijn tweede boek en een deel van het derde. (Ik volgde het advies van een oude sportcoach, die zei: je kunt niet meer talent kweken, maar je kunt wel harder trainen dan een ander.) Die drie boeken telden elk meer dan honderdduizend woorden en zaten, naar ik hoopte, vol enerverende actie en spanning, maar ook vol licht en schaduw, rustige passages en kleine zijpaden – alles wat boeken tot zulke vrije werelden van mogelijkheden maakt; eerst een genot voor de auteur, en daarna (nog een keer, naar ik hoopte) voor de lezer.

Mijn eerste boek kwam uit in het voorjaar van 1997. Jack Reacher zag het levenslicht. Hij werd redelijk succesvol ontvangen en het boek werd beschouwd als het eerste deel in wat mogelijk een succesvolle reeks zou worden. Dit leidde direct tot twee resultaten: ten eerste een filmoptie in Hollywood en ten tweede een verzoek om een kort verhaal. Ik was enigszins bekend met Hollywood, mijn voormalige tv-bedrijf had een filmafdeling opgericht en meteen twee Oscars in de wacht gesleept, maar ik had een spoedcursus nodig om het ecosysteem van korte verhalen te doorgronden.

Ik ontdekte de wereld van de bloemlezingen. Sommige waren uitsluitend bedoeld om wat extra inkomsten voor de uitgevers te genereren. Andere waren retrospectieve verzamelingen van recente 'het beste van'-stukken, samengesteld door experts. Weer andere waren liefdadigheidsprojecten, waarbij met beschikbaar gestelde teksten geld werd opgehaald voor een goed doel. Maar de meeste waren fundraisers, opgezet door schrijversorganisaties zoals Mystery Writers of America en International Thriller Writers, die (hoopten ze) hun rekeningen konden betalen van de royalty's die deze bloemlezingen zouden opleveren.

Natuurlijk brachten bloemlezingen meer geld in het laatje als ze stukken van gevestigde supersterren bevatten. Maar schrijversorganisaties zijn er voor alle schrijvers, dus het was de norm om een evenwichtige verdeling tussen grote namen en nieuwe talenten aan te houden. Toegewijde lezers zouden de bloemlezingen kopen vanwege de grote namen, en de nieuwe talenten zouden op dit succes en deze bekendheid kunnen meeliften (althans, dat was de hoop). Het laatste wat ik ontdekte, was dat korte verhalen schrijven, om al deze redenen, ongeacht wie je bent, iets is wat je pro bono doet. Geen enkele schrijver heeft er ooit veel geld mee verdiend. Dit zou later ook mijn eigen ervaring zijn: mijn meest succesvolle korte verhaal bracht veel minder op dan mijn minst succesvolle boek. Uiteindelijk bleek dat verschil, voor mij althans, juist het mooiste van korte verhalen te zijn.

Met al deze kennis en twee en-een-beetje al geschreven boeken, waarvan er één gepubliceerd was, leverde ik een kort verhaal voor een misdaadfictiebloemlezing. Daarna volgden er meer verzoeken, steeds vaker, totdat ik uiteindelijk zo'n vijf of zes korte verhalen per jaar schreef. Soms wel tien. Misschien zelfs meer. Elke keer stond ik voor de keuze: werd het een Reacher-verhaal of niet?

Vanaf het begin wisselde ik het af. Reacher-verhalen hadden zo hun voordelen: ik had een al bestaand personage en een vaste structuur, een herkenbare stem en stijl. Bovendien bood het me de kans om ideeën en plotelementen te gebruiken die niet geschikt waren voor een boek.

Maar de meeste lol had ik in de niet-Reacher-verhalen. De bundel die je nu in handen hebt is een speciale selectie van die verhalen. Voor mij was het een feest om steeds iets nieuws uit te proberen. Andere tijden, plaatsen, nationaliteiten, persoonlijkheden, alles. Het voelde bevrijdend. En het was gewoon leuk om te doen. Ik had zelfs nog meer plezier omdat ik onbewust een verkeerde aanname had gedaan. Zoals ik al zei, deze verhalen leverden nooit geld op. Daarom dacht mijn commercieel getrainde onderbewuste dat niemand ze las. Geen publiek, geen winst. Zo werkt de showbusiness.

De illusie dat wat ik deed onopgemerkt bleef, was het beste wat me kon overkomen. Er stond niets op het spel. Ik experimenteerde naar hartenlust. Sommige verhalen waren niet veel soeps, maar andere vingen precies de stem die ik in mijn hoofd had. Ik was er blij mee. Hoewel ik niet denk dat ik het korte verhalen schrijven ooit echt in de vingers heb gekregen. Niet helemaal, in elk geval. Het zijn beslist geen Fabergé-eieren. In korte verhalen van de grote schrijvers gebeurt iets mysterieus. Ik heb dat nooit helemaal doorgrond. Mijn korte verhalen zijn heel, heel, heel korte boeken. Maar dat maakt ze niet minder goed. Ze hebben een begin, een midden en een eind. Er gebeurt iets verrassends. Of er komt iets aan het licht.

Wat ze me hebben laten zien, is dat er een onmiskenbare flow en energie ontstaat wanneer je nieuw terrein verkent en je je onbespied waant, en wanneer je als schrijver – zie ik nu, terugkijkend – zonder het onderbewuste gevoel werkt dat er nog veel, veel meer moet komen. Dat er een rotsblok de heuvel op geduwd moet worden. Je hoeft je materiaal niet uit te spreiden. Je hoeft niets te bewaren tot hoofdstuk 17. Alles gebeurt nu, meteen, door er vol overgave doorheen te razen, vaak in één keer, in één sessie geschreven. Zoals ik al zei: het was leuk om te doen.

Lee Child
Colorado
2024

De bodyguard

Net als bij alle andere beroepen is er ook bij bodyguards een onderscheid tussen echte en neppe. Nep-bodyguards zijn eigenlijk niet meer dan veredelde chauffeurs, grote kerels in pakken die worden ingehuurd vanwege hun postuur en verschijning, maar die vaak niet goed betaald krijgen en aan wie je weinig hebt als het erop aankomt. Echte bodyguards zijn experts, strategische denkers, goedgetrainde professionals met ervaring. Ze kunnen zelfs klein van stuk zijn, zolang ze maar slim zijn en tegen een stootje kunnen. Zolang je maar iets aan ze hebt op het moment dat het er echt toe doet.

Ik ben een echte bodyguard.

Of beter gezegd, dat was ik.

Ik ben opgeleid in zo'n geheime legereenheid waar persoonsbeveiliging deel van het opleidingsprogramma uitmaakt. Naast vele andere beroepen heb ik dit vak jarenlang over de hele wereld uitgeoefend. Ik ben gemiddeld van lengte, slank, snel en heb een groot uithoudingsvermogen. Geen marathonloper, maar ook zeker geen gewichtheffer. Na vijftien jaar dienst verliet ik het leger en begon ik klussen aan te nemen via een bureau van een vriend van me. De meeste klussen vonden plaats in Zuid- en Midden-Amerika. De meeste opdrachten waren van korte duur.

Ik rolde er precies in op het moment dat de zaken een waanzinnige vlucht namen.

Ontvoering voor losgeld werd in de meeste Zuid-Amerikaanse landen een nationale sport. Als je rijk was of politieke invloed had, was je automatisch een doelwit. Ik werkte voor Britse en Amerikaanse bedrijven. Ze hadden managers en leidinggevenden in landen als Panama, Brazilië en Colombia. Deze mensen werden beschouwd als extreem rijk en politiek zeer invloedrijk. Rijk, omdat hun werkgevers waarschijnlijk bereid waren losgeld te betalen en hun bedrijven over kapitalen van honderden miljarden beschikten. En politiek invloedrijk omdat de westerse regeringen uiteindelijk betrokken zouden raken. Er bestond geen groter besef van politieke invloed dan dat van de slechterik die wist dat hij ergens in de jungle kon zitten en gehoord werd op 10 Downing Street of in het Witte Huis.

Maar ik heb nooit een klant verloren. Ik was een expert en had goede cliënten. Ze wisten allemaal wat er op het spel stond. Ze werkten goed met me samen. Ze waren volgzaam en gehoorzaam. Ze wilden gewoon twee jaar de mouwen opstropen en dan levend terugkeren naar hun hoofdkantoren waar hun promotie wachtte. Ze hielden zich gedeisd, gingen 's avonds niet uit en kwamen vrijwel nergens anders dan op kantoor en andere werkplekken. Al het vervoer vond plaats op hoge snelheid in beveiligde voertuigen, via steeds wisselende routes en op onvoorspelbare tijden. Mijn cliënten klaagden nooit. Omdat ze aan het werk waren, waren ze bereid een zekere mate van militaire discipline te accepteren. Het was allemaal relatief gemakkelijk, een tijdlang.

Toen begon ik voor mezelf.

Het verdiende beter, maar de klussen waren slechter. Ik leerde me verre te houden van mensen die een bodyguard puur als statussymbool wilden. Die waren er genoeg. Ik werd er ongelukkig van, omdat ik uiteindelijk te weinig te doen had. Te vaak moest ik allerlei klusjes opknappen, terwijl mijn vaardigheden in het slop raakten. Ik leerde ook om uit de buurt te blijven van mensen die eigenlijk geen bodyguard nodig hadden. Londen is een gevaarlijke stad en New York is nog gevaarlijker, maar niemand heeft in die steden echt een bodyguard nodig. Opnieuw: te weinig te doen. Het was saai en demotiverend. Ik geef ruiterlijk toe dat mijn risicoverslaving een rol speelde in mijn keuzes.

Zo ook in mijn keuze om voor Anna te werken.

Ik mag haar achternaam nog steeds niet noemen. Dat stond in mijn contract, en ik ben tot mijn dood aan mijn contract gebonden. Ik hoorde over de positie via een vriend van een vriend. Ik werd naar Parijs gevlogen voor het sollicitatiegesprek. Anna bleek tweeëntwintig jaar oud te zijn, uitzonderlijk mooi, donker, slank en mysterieus. De eerste verrassing: ze voerde het gesprek zelf. Meestal regelt de vader de zaken in zulke situaties. Alsof het inhuren van een bodyguard hetzelfde is als een Mercedes cabriolet als verjaardagscadeau kopen. Of rijlessen regelen.

Maar Anna was anders.

Ze was zelf rijk. Ze had geld geërfd van een andere tak van de familie. Ze was misschien wel rijker dan haar vader, die al behoorlijk rijk was. Haar moeder was ook rijk. Die had ook haar eigen, afzonderlijke fortuin. Ze waren Braziliaans. De vader was een zakenman en politicus, de moeder een plaatselijke tv-ster. Het was een driedubbele klapper: bakken met geld, politieke connecties, Brazilië.

Ik had de klus moeten afslaan.

Maar dat deed ik niet. Ik was wel in voor een uitdaging. En Anna was fascinerend. Niet dat een intieme persoonlijke relatie gepast was; ze was een cliënt en ik was bijna twee keer zo oud als zij. Maar ik wist meteen dat ze leuk gezelschap zou zijn.

Het sollicitatiegesprek ging prima. Ze nam mijn formele kwalificaties als vanzelfsprekend aan. Ik heb littekens, onderscheidingen en aanbevelingen. Ik had nog nooit een cliënt verloren. Anders had ze me natuurlijk niet eens uitgenodigd. Ze vroeg naar mijn wereldbeeld, mijn meningen, mijn smaak, mijn voorkeuren. Ze was geïnteresseerd in de details van de samenwerking. Het was duidelijk dat ze eerder bodyguards had ingehuurd.

Ze vroeg hoeveel vrijheid ik haar zou geven.

Ze vertelde dat ze in Brazilië liefdadigheidswerk deed. Op het gebied van mensenrechten en armoedebestrijding, de gebruikelijke dingen. Uren en dagen in de sloppenwijken en de afgelegen jungle.

Ik vertelde haar over mijn vorige Zuid-Amerikaanse cliënten: de zakenmannen, de oliemagnaten, de mijnbouwers. Ik vertelde haar dat hoe minder activiteiten ze ondernamen, hoe veiliger ze waren. Ik beschreef hun normale dag: thuis, auto, kantoor, auto, thuis.

Dat wilde ze niet.

'We moeten een balans vinden,' zei ze.

Haar Engels was goed, maar ze had een licht accent omdat haar moedertaal Portugees was. Ze klonk nog mooier dan ze eruit zag, en ze was echt beeldschoon. Ze was niet zo'n rijk meisje dat zich nonchalant kleedde. Geen gescheurde spijkerbroeken voor haar. Tijdens ons gesprek droeg ze een eenvoudige zwarte broek en een witte blouse. Beide kledingstukken zagen er nieuw uit en ik was er zeker van dat ze uit een exclusieve Parijse boetiek kwamen.

'Noem maar een percentage,' zei ik. 'Je bent honderd procent veilig als je dag en nacht hier in je appartement blijft, en je bent honderd procent niet veilig als je de hele dag in je eentje door Rio loopt.'

'Vijfenzeventig procent veilig,' zei ze. Vervolgens schudde ze haar hoofd. 'Nee, tachtig.'

Ik begreep wat ze bedoelde. Ze was bang, maar ze wilde een normaal leven leiden. Ze was onrealistisch.

'Tachtig procent veilig betekent dat je van maandag tot en met donderdag leeft en op vrijdag doodgaat,' zei ik.

Ze werd stil.

'Je bent een ideaal doelwit,' zei ik. 'Je bent rijk, je moeder is rijk, je vader is rijk en hij is een politicus. Je bent het beste doelwit van heel Brazilië. En een ontvoering is een smerige zaak. Het loopt meestal fout af. Het komt meestal op moord neer, maar dan met een beetje uitstel. En soms haast zonder uitstel.'

Ze zei niets.

'En het is soms heel onaangenaam,' zei ik. 'Paniek, stress, wanhoop. Je wordt niet in een gouden kooi opgesloten. Je zit met een stel zware jongens in een hut in de jungle.'

'Ik wil niet in een gouden kooi,' zei ze. 'En jij bent er toch bij?'

Ik begreep wat ze bedoelde. Ze was tweeëntwintig jaar.

'We zullen ons best doen,' zei ik.

Ze nam me ter plekke aan. Ik kreeg een voorschot op een zeer royaal salaris, en ze vroeg me om een lijst te maken van alles wat ik nodig had: wapens, kleding, auto's. Ik vroeg nergens om. Ik dacht dat ik alles had wat er nodig was.

Ik dacht dat ik wist wat ik deed.

Een week later waren we in Brazilië. We vlogen de hele reis in de eerste klas: van Parijs naar Londen, van Londen naar Miami, en van Miami naar Rio. Ik had de route bepaald. Indirect en onvoorspelbaar. Dertien uur in de lucht, vijf uur in luchthavenlounges. Anna was prettig gezelschap en een meewerkende cliënt. Ik vroeg een vriend ons in Rio op te halen. Anna had een ruim budget, dus ik besloot om ons altijd door een chauffeur te laten vervoeren. Op die manier kon ik me beter concentreren. Ik had gekozen voor een Russische jongen die ik in Mexico had ontmoet. Hij was de beste defensieve chauffeur die ik ooit had meegemaakt. Russen zijn geweldig met auto's. Ze moeten wel. Moskou is de enige stad die nog chaotischer is dan Rio.

Anna had haar eigen appartement. Ik had een omheinde wijk in een voorstad verwacht, maar ze woonde midden in het centrum. Op zich was dat goed. Er was maar één ingang vanaf de straat, er waren een portier en een conciërge; bezoekers werden gezien nog voor die bij de lift waren. De voordeur van het appartement was van staal, had drie sloten en een video-intercom. Ik heb veel liever video-intercoms dan kijkgaten. Kijkgaten in een deur zijn een heel slecht idee. Iemand kan op de gang wachten tot het glas donker wordt en dan met een zwaar kaliber pistool door het kijkgat schieten, dwars door je oog, je hersenen, de achterkant van je schedel, en mogelijk ook je cliënt, als die op dat moment achter je staat.

Al met al was het een prima situatie. Mijn Russische vriend parkeerde de auto in de garage onder het gebouw. We namen de lift naar boven, gingen naar binnen, deden alle drie de sloten op de deur en installeerden ons in het appartement. Ik had een kamer tussen die van Anna en de voordeur in. Ik ben een lichte slaper. Alles was in orde.

Maar nog geen vierentwintig uur later was niets meer in orde.

Een jetlag na een reis in westelijke richting zorgt ervoor dat je vroeg wakker wordt. We waren allebei om zeven uur op. Anna wilde buiten de deur ontbijten. Daarna wilde ze gaan winkelen. Ik twijfelde. De eerste beslissing bepaalt de toon. Maar ik was een bodyguard, geen gevangenisbewaarder. Dus ik stemde toe. Ontbijten en winkelen.

Het ontbijt verliep goed. We gingen naar een hotel en namen uitgebreid de tijd voor het ontbijt in de eetzaal. Het zat er vol met andere bodyguards. Sommigen waren echt, anderen waren nep. Sommigen zaten aan een eigen tafel, anderen ontbeten samen met hun cliënt. Ik ontbeet samen met Anna. Fruit, koffie, croissants. Ze at meer dan ik. Ze zat vol energie en had er zin in.

Bij het winkelen ging het mis.

Later besefte ik dat mijn Russische vriend me had verraden. Normaal gesproken is de eerste dag de gemakkelijkste. Wie weet er überhaupt dat je in de stad bent? Maar mijn vriend moet een perfect getimed telefoontje hebben gepleegd. Toen Anna en ik een winkel uit kwamen, stond onze auto niet langs de stoep. Anna droeg haar eigen tassen. Ik had vanaf het begin duidelijk gemaakt dat ze dat zelf moest doen. Ik ben een bodyguard, geen kruier, en ik moet mijn handen vrij hebben. Ik keek naar links en zag niets. Ik keek naar rechts en zag vier gewapende mannen.

De mannen waren dichtbij en ze hadden kleine, zwarte automatische wapens, nieuw en nog glimmend van de olie. Ze waren klein, snel en gespierd. Het was druk op straat. Achter me waren mensen, achter de vier mannen ook. Links van me reed het verkeer, rechts was de deur van de winkel. Er zou onvermijdelijk nevenschade zijn als ik mijn pistool trok en begon te schieten.

Uitgebreide vuurgevechten met pistolen zorgen altijd voor veel verdwaalde kogels. Er zouden veel onschuldige slachtoffers vallen.

En ik zou hoe dan ook verloren hebben.

Het winnen van een vuurgevecht van vier tegen één gebeurt alleen in films. Het was mijn taak om te zorgen dat Anna bleef leven, al was het maar voor nog een dag. Of nog een uur. De mannen kwamen dichterbij, namen mijn pistool af, pakten Anna's tassen en grepen haar armen vast. Op dat moment kwam er een witte auto aanrijden en werden we gedwongen om in te stappen. Eerst Anna, daarna ik. We werden op de achterbank tussen twee mannen in gezet die pistolen in onze ribben duwden. Een andere man op de passagiersstoel draaide zich om en hield ons ook onder schot. De bestuurder scheurde ervandoor. Binnen een minuut bevonden we ons in een labyrint van zijstraatjes.

Ik had het mis over de hut in de jungle. We werden naar een verlaten kantoorgebouw binnen de stadsgrenzen gebracht. Het was opgetrokken uit baksteen en grauwig wit geschilderd. Maar dat van de zware jongens klopte wel. Het gebouw wemelde ervan. Het was een hele bende. Minstens een stuk of veertig kerels. Ze waren smerig en onbeschoft en de meesten loerden openlijk naar Anna. Ik hoopte dat ze ons niet uit elkaar zouden halen.

Maar dat was precies wat ze deden. Ik werd meteen in een cel gegooid die ooit een kantoor was geweest. Er zat een zwaar ijzeren rooster voor het raam en een groot slot op de deur. Er stonden een bed en een emmer. Dat was alles. Het was een ziekenhuisbed van metalen buizen. De emmer was leeg, maar was kort daarvoor nog vol geweest; hij stonk. Mijn handen werden achter mijn rug geboeid. Ook mijn enkels werden geboeid en ik werd op de grond gegooid. Drie uur lang werd ik aan mijn lot overgelaten.

Toen begon de nachtmerrie.

Het slot rammelde, de deur ging open en er kwam een man binnen. Hij leek de baas te zijn: hij was lang en donker en had een brede, norse mond vol gouden tanden. Hij trapte me twee keer in mijn ribben en legde uit dat dit een politieke ontvoering was. Financieel gewin zou een bonus zijn, maar het echte doel was om Anna te gebruiken als pressiemiddel tegen haar vader, de politicus, om een regeringsonderzoek stop te laten zetten. Zij was de troef. Ik was overbodig. Binnen een paar uur zou ik worden geëxecuteerd. Het was niets persoonlijks, zei de man. Daarna zei hij dat mijn executie zou worden uitgevoerd op een manier die zijn mannen vermakelijk vonden. Ze verveelden zich en hij wilde ze een verzetje bieden. Zij mochten bepalen hoe ik aan mijn eind zou komen.

Toen werd ik weer alleen gelaten.

Veel later kwam ik erachter dat Anna twee verdiepingen lager in een soortgelijke kamer zat opgesloten. Ze had geen hand- of voetboeien om en kon zich vrij bewegen, zoals paste bij haar hoge status. Ook bij haar stond een ijzeren ziekenhuisbed, maar zij had een fatsoenlijke badkamer in plaats van een emmer. Plus een tafel en een stoel. Ze zou te eten krijgen; ze was waardevol voor hen.

En ze was dapper.

Zodra de deur op slot was, ging ze op zoek naar een wapen.

De stoel was een mogelijkheid, of ze kon de wastafel in de badkamer kapotslaan en een scherf als mes gebruiken. Maar ze wilde iets beters. Ze keek naar het bed. Het bedframe bestond uit aan elkaar geschroefde ijzeren buizen die aan de uiteinden plat en breed waren. Er lag een dun matras met een gestreepte tijk op. Ze trok het matras van het bed en legde het op de vloer. Het bed had een spiraalbodem die tussen twee lange buizen hing. De lange buizen zaten aan elk uiteinde vast met een bout. Als ze een bout los kon krijgen, had ze een speer van twee meter. Maar het bedframe was geverfd en de bouten zaten muurvast. Ze probeerde ze met haar vingers los te draaien, zonder resultaat. Het was warm in de kamer, ze zweette een beetje en haar vingers gleden steeds weg. Ze legde het matras terug en richtte haar aandacht op de tafel.

De tafel had vier poten en een fineer blad van ongeveer een vierkante meter. Eromheen zat een smalle verstevigingsrand. Ondersteboven gekeerd zou het eruit zien als een heel ondiepe doos. De poten waren aan kleine schuine metalen beugels vastgeschroefd die aan de rand waren bevestigd. De bouten waren van goedkoop staal, een beetje koperachtig van kleur. De moeren waren vleugelmoeren en konden makkelijk met de hand losgedraaid worden. Ze maakte één poot los en verstopte de moer en de bout. Ze liet de poot op zijn plek staan, rechtop onder de tafel geklemd. Daarna ging ze op het bed zitten wachten.

Na een uur hoorde ze voetstappen in de gang. Het slot werd omgedraaid. Een man stapte de kamer binnen met een dienblad met eten.

Hij was jong. Vermoedelijk een onderknuppel die was opgezadeld met keukentaken. Hij droeg een pistool op zijn heup. Een zwart automatisch pistool, groot, hoekig en gloednieuw.

Anna ging staan en zei: 'Zet het dienblad maar op het bed. Volgens mij is er iets mis met die tafel.'

De jongen zette het dienblad op het matras.

'Waar is mijn vriend?' vroeg Anna.

'Welke vriend?'

'Mijn bodyguard.'

'In zijn kamer,' zei de jongen. 'Maar niet lang meer. Straks gaan we beneden een beetje met hem dollen.'

'Wat bedoel je met dollen?'

'Dat weet ik nog niet. Maar we zullen zeker iets creatiefs verzinnen.'

'Een spelletje?'

'Niet echt. We gaan hem vermoorden.'

'Waarom?'

'Omdat we hem niet nodig hebben.'

Anna zei niets.

'Wat is er mis met de tafel?' vroeg de jongen.

'Een van de poten zit los.'

'Welke?'

'Deze,' zei Anna, en ze trok de poot onder de tafel vandaan. Ze zwaaide ermee als een honkbalknuppel en sloeg de jongen recht in zijn gezicht. De hoek van de tafelpoot raakte hem precies tegen zijn neusbrug en tikte een botsplinter zijn hersenpan in. Hij was dood voordat hij de vloer raakte. Anna pakte het pistool van zijn heup, stapte over hem heen en liep naar de deur.

Op de zijkant van het pistool stond 'Glock'. Er zat geen veiligheidspal op. Anna legde haar vinger om de trekker en liep de gang op. Beneden, had de jongen gezegd. Ze zocht de trap, ging naar beneden en bleef doorlopen.

Intussen hadden ze me naar een grote kamer op de begane grond gesleept. Het was misschien ooit een vergaderzaal geweest. Er waren negenendertig mensen aanwezig. Er was een klein verhoogd podium met twee stoelen.

In de ene stoel zat de baas. Ik werd in de andere gezet. Vervolgens begonnen ze allemaal in het Portugees te discussiëren. Over hoe ze me zouden doden, vermoedde ik. Over hoe ze er de meeste lol aan konden beleven. Midden in de discussie ging er achter in de vergaderzaal een deur open. Anna stapte binnen, zwaaiend met een groot pistool. Er volgde onmiddellijk reactie: achtendertig mannen trokken stuk voor stuk hun vuurwapen en richtten dat op haar.

Maar de baas deed dat niet en riep iets wat op een dringende waarschuwing leek. Ik verstond hem niet, maar ik wist wat hij zei. Hij zei: *Niet schieten! We hebben haar levend nodig! Ze is waardevol voor ons!* De achtendertig mannen lieten hun pistolen zakken en keken naar Anna die tussen hen door naar het podium liep. Ze ging recht voor de baas staan. Hij glimlachte.

'Er zitten zeventien patronen in dat pistool,' zei hij. 'We zijn hier met negenendertig man. Je kunt ons niet allemaal neerschieten.'

Anna knikte. 'Dat weet ik,' zei ze. Vervolgens richtte ze het pistool op zichzelf en drukte het tegen haar borst. 'Maar ik kan wel mezelf neerschieten.'

Daarna was het eenvoudig. Ze eiste dat ze mijn hand- en voetboeien losmaakten. Ik pakte het pistool van de dichtstbijzijnde man en liep samen met Anna achteruit de zaal uit. En we kwamen ermee weg. Niet door onze belagers te bedreigen, maar doordat Anna dreigde zichzelf neer te schieten, met mij als back-up. Vijf minuten later zaten we in een taxi. Een halfuur later waren we thuis.

De volgende dag stopte ik als bodyguard. Omdat ik het als een teken beschouwde. Een bodyguard die door zijn cliënt gered moet worden heeft geen toekomst, behalve als nepper.

De beste truc van allemaal

Ik had je vanaf duizend meter dwars door je kop kunnen schieten. Ik had je kunnen passeren in een menigte en je zou pas merken dat je keel was doorgesneden als je probeerde te knikken en je hoofd zonder jou over straat rolde. Ik was de man voor wie je bang was wanneer je je deuren op slot deed, je beveiligers op hun post zette en naar boven liep om naar bed te gaan, waar je me dan zag staan, tegen je kledingkast geleund, wachtend in het donker.

Ik was de man die altijd wel een manier vond.

Ik was de man die zich niet liet tegenhouden.

Maar die tijden zijn voorbij, denk ik.

Wat ik deed, bedacht ik niet zelf. Ik keek het af van de besten, lang geleden. Van allemaal leerde ik iets. Een zet hier, een zet daar, en ik breide ze allemaal aan elkaar. Alle trucs. Zo ook de beste truc van allemaal, die ik leerde van een man genaamd Ryland. Vroeger werkte Ryland overal en nergens, maar vooral waar er olie was, of wit poeder, of geld, of meisjes, of om hoge bedragen werd gekaart. Toen hij ouder werd trok hij zich langzaam terug. Uiteindelijk ontdekte hij de huwelijksmarkt. Misschien was het zijn eigen idee, maar dat betwijfel ik. In elk geval verfijnde hij het. Hij maakte er een business van. Hij was op de juiste plaats op het juiste moment. Precies in de tijd dat hij oud werd en een stap terugdeed, begonnen Californische advocaten de jackpot binnen te halen met echtscheidingszaken. En daar werden mannen over het hele noordelijk halfrond nerveus van.

Het idee was simpel: een levende echtgenote kan naar een advocaat gaan, maar een dode echtgenote gaat helemaal nergens heen, behalve naar de begraafplaats. Probleem opgelost. Een dode echtgenote trekt natuurlijk een zekere mate van aandacht van de politie, maar Ryland bewoog zich in een wereld waarin een man duizend keer liever een telefoontje van een agent krijgt dan van een echtscheidingsadvocaat. Agenten moesten tactvol te werk gaan vanwege de rouwsituatie en over het algemeen werd aangenomen dat het IQ van agenten niet om over naar huis te schrijven was. Terwijl advocaten zo scherp als een scheermes waren. En het inschakelen van een man als Ryland was natuurlijk ook aantrekkelijk, omdat hij weinig sporen achterliet. Als een echtgenote door Ryland uit de weg werd geruimd, werd dat over het algemeen beschouwd als het winnen van de jackpot.

Hij werkte hard. Bekijk de microfilms maar. Kijk in kranten door de hele Verenigde Staten en Centraal- en Zuid-Amerika. Kijk in Europa, Duitsland, Italië, overal waar flinke fortuinen op het spel stonden. Kijk hoeveel vrouwen er vermist zijn geraakt. Kijk hoe oud ze waren en hoelang ze getrouwd waren. En ga dan eens op zoek naar de vervolgartikelen, de binnenpagina's, de slotalinea's, en kijk hoe vaak er gehint wordt op beginnende huwelijksproblemen. Als je dat doet, zie je een patroon.

De politie zag het natuurlijk ook. Maar Ryland was als een spook. Hij had de wereld van olie en coke overleefd, de wereld van geldleningen, hoeren en gokken. Hij liet zich echt niet pakken vanwege wat hebzuchtige mannen en verveelde vrouwen. Het ging hem voor de wind, en ik durf te wedden dat zijn naam in geen enkel politiedossier staat genoteerd. Nergens, nooit. Zo goed was hij.

Hij werkte in de tijd dat miljardairs zeldzaam waren. Honderd miljoen werd beschouwd als de ondergrens. Onder de honderd miljoen was je arm, daarboven werd je voor vol aangezien. Honderd miljoen werd een 'unit' genoemd, en de meeste cliënten van Ryland bezaten drie of vier units. Er viel Ryland iets op: rijke man, rijke vrouw. De vrouwen waren natuurlijk niet rijk op dezelfde manier als hun mannen. Ze bezaten geen eigen units, maar ze hadden geld te besteden. Dat was logisch, zei Ryland tegen me. Mannen regelden bankrekeningen en creditcards voor hun vrouwen. Mannen met drie of vier units willen zich niet bezighouden met futiliteiten op het niveau van zes cijfers.

Maar laat dat nu precies het niveau zijn waarop Ryland opereerde.

Hij merkte dat het bloed dat hij vergoot over nertsmantels droop, over diamanten chokers, Parijse jurken en geperforeerde lederen stoelen in Mercedes-Benzen. Na een tijdje begon hij handtassen te doorzoeken en ontdekte dikke bankrekeningen en platinum cards. Hij stal natuurlijk niets. Dat zou dodelijk en dom zijn geweest, en

Ryland was niet dom. Absoluut niet. Maar inventief was hij wel.

Althans, dat beweerde hij.

Ik stel me zo voor dat een van de vrouwen hem op het idee bracht. Misschien een vrouw met wat meer pit dan normaal. Misschien deed ze een tegenvoorstel toen ze besefte wat er ging gebeuren. Zo stel ik me graag voor dat het allemaal begon. Misschien zei ze: 'Die klootzak. Ik zou je moeten betalen om hém uit de weg te ruimen.' Ik weet zeker dat Ryland bij zoiets zijn oren zou spitsen. Alles wat met geld te maken had, zou zijn interesse hebben gewekt. Hij zou razendsnel de berekening maken, zoals hij elke berekening maakte, van de baan van een kogel tot een risicobeoordeling. Hij zou denken: deze dame kan zich een jas van zes cijfers veroorloven, dus ook een moord van zes cijfers.

Zo ontstond de beste truc van allemaal: twee keer betaald krijgen.

Hij vertelde me erover toen hij al kanker had, en ik beschouwde het als een soort zegening. De benoeming van een erfgenaam. Het doorgeven van het stokje. Hij wilde dat ik de nieuwe Ryland werd, en dat vond ik prima. Ik beschouwde het ook als een stilzwijgend verzoek om hem niet te laten lijden. Ook dat vond ik prima. Hij was toen al zwak. Hij verzette zich hevig tegen het kussen, maar het licht ging snel bij hem uit. En toen was het zover. De oude Ryland was weg en de nieuwe Ryland begon vol goede moed.

De eerste was een gezette vrouw van in de veertig uit Essen in Duitsland. Ze was getrouwd met een staalbaron die haar al een tijdje zat was. Honderdduizend in mijn zak zou hem besparen dat er honderd miljoen in de hare verdween. In het klassieke geval zou je haar achtervolgen en toeslaan voordat ze überhaupt wist dat je bestond. Vroeger zou dat het kenmerk van een goed uitgevoerde klus zijn geweest.

Maar nu niet meer.

Ik volgde haar naar Gstaad. Ik reisde niet met haar mee, maar verscheen daar gewoon de volgende dag. Ik leerde haar een beetje kennen. Het was een trut. Ik had haar met liefde gratis omgelegd, maar dat deed ik niet. Ik praatte met haar. Ik kreeg haar zover dat ze zei: 'Mijn man vindt me te oud.' Ze keek me aan en knipperde met haar wimpers; ze viste duidelijk naar complimentjes. Ze wilde dat ik zou zeggen: 'Jij? Te oud? Hoe durft hij dat te zeggen over zo'n prachtige vrouw als jij!'

Maar dat deed ik niet.

Ik zei: 'Hij wil van je af.'

Ze vatte het op als een vraag. 'Ja, ik denk het ook.'

'Ik weet het zeker,' zei ik. 'Hij betaalt me om je te vermoorden.'

Stel je voor. Hoe zou ze reageren? Ze begon niet te gillen. Ze rende niet naar de Zwitserse politie. Er viel alleen een verbijsterde stilte, want dit was wel het laatste wat ze had verwacht. Allereerst stelde ze natuurlijk de controlevraag: 'Ben je een huurmoordenaar?' Ze wist dat er mannen zoals ik bestonden. Ze bewoog zich al lange tijd in de wereld van haar man. Te lang, wat hem betrof. En vervolgens stelde ze de onvermijdelijke vraag: 'Hoeveel betaalt hij je?'

Ryland had me geadviseerd het bedrag een beetje aan te dikken. Volgens hem genoten de slachtoffers er op een perverse manier van om een hoog bedrag te horen. Het gaf ze het gevoel ertoe te doen, op een kromme manier. Ze werden afgedankt, maar het kostte in elk geval een flinke smak geld om van ze af te komen. Het gaf een bepaalde status.

'Tweehonderdduizend Amerikaanse dollars,' zei ik.

De dikke trut uit Essen liet de informatie tot zich doordringen en nam de verkeerde afslag.

'Ik kan je dat bedrag betalen om me te laten leven,' stelde ze voor.

'Zo werk ik niet,' zei ik. 'Ik maak mijn klussen altijd af. Als hij rondbazuint dat ik dat niet doe, is mijn reputatie naar de maan. En voor iemand zoals ik is reputatie alles.'

Gstaad was de perfecte locatie voor dit gesprek. Het dorp lag geisoleerd en er hing een enigszins onwerkelijke sfeer. Het was alsof zij en ik de enigen op de wereld waren. Ik zat naast haar en probeerde sympathie uit te stralen. Als een tandarts, vlak voordat hij een kies moet boren. Het spijt me... maar het moet gebeuren. Haar woede borrelde naar de oppervlakte, langzaam, maar onmiskenbaar. Uiteindelijk nam ze de juiste afslag.

'Het gaat je om het geld,' zei ze.

Ik knikte.

'Je werkt voor iedereen die het kan betalen,' zei ze.

'Net als een taxi,' zei ik.

'Ik zal je betalen om hem te vermoorden.'

Er was natuurlijk woede, maar er waren ook financiële overwegingen. Die kristalliseerden zich langzaam uit in haar gedachten, eerst nog vaag, en in wezen waren het precies dezelfde overwegingen die ik een week eerder bij haar echtgenoot had gezien. Bij mensen zoals zij komt het maar op één ding neer: hebben, hebben, hebben.

'Hoeveel?' vroeg ze.

'Hetzelfde,' zei ik. 'Tweehonderdduizend.'

We waren in Zwitserland, dus een bankbezoekje was geen probleem. Ik bleef bij haar, als steun, en zag hoe ze tweehonderdduizend Amerikaanse dollars in haar dikke roze klauwen kreeg, kraakverse biljetten afkomstig uit een centraal depot van een of ander Europees land. Ze gaf ze aan mij en begon te vertellen waar en wanneer ik haar echtgenoot kon vinden.

'Dat weet ik al,' zei ik. 'Ik heb een afspraak met hem. Om zijn betaling te ontvangen.'

Ze giechelde om de ironie. Ze was niet dom. Gegarandeerde toegang tot het slachtoffer. Dat was de grootste kracht van Rylands idee.

We maakten een wandeling over een besneeuwd pad waar bijna nooit skiërs kwamen. Ik draaide haar de speknek om en liet haar achter in een houding die erop zou kunnen wijzen dat ze was uitgegleden en gevallen. Vervolgens nam ik de trein terug naar Essen en ging naar mijn afspraak met de echtgenoot. Hij had logischerwijs veel moeite gedaan om onze ontmoeting geheim te houden. We hadden afgesproken op een plek waar hij normaal niet zou komen, we waren alleen en onbespied. Ik incasseerde het geld en doodde hem ook. Een .22 met geluiddemper, een schot door het hoofd. Het was een principekwestie voor mensen zoals Ryland en ik. Als je betaald krijgt, moet je leveren.

Ik kreeg dus twee keer betaald, en al die units uit de staalindustrie vonden hun weg naar erfgenamen met ergernissen die me snel genoeg ook zouden inhuren. Hebben, hebben, hebben.

Zo ging het twee jaar door. Bekijk de microfilms maar. Kijk in de kranten. Noord-Amerika, Centraal- en Zuid-Amerika, heel Europa. De politie maakte zich grote zorgen om anarchisten die het op rijke koppels gemunt hadden. Ook dat maakte Rylands idee zo sterk: het motief was onverklaarbaar.

Toen kreeg ik een vraag uit Brazilië. Het verbaasde me. Om de een of andere reden stelde ik me voor dat ze er daar ouderwetse en traditionele echtscheidingswetten op nahielden. Volgens mij hadden Braziliaanse mannen mijn hulp niet nodig. Maar iemand nam contact me op en niet veel later stond ik oog in oog met een man die vele units in de mijnbouw had vergaard. Zijn vrouw was een actrice en dook met iedereen tussen de lakens. De man was gekwetst. Misschien was dat de reden waarom hij me belde. Het was niet echt nodig. Maar hij wilde het.

Hij was rijk en hij was boos, dus ik verdubbelde mijn gebruikelijke prijs. Dat vond hij geen probleem. Ik legde uit hoe ik te werk ging: betaling achteraf op een discrete plek, tevredenheid gegarandeerd. Hij vertelde dat zijn vrouw een reis ging maken, een lange, exclusieve treinreis door de bergen. Dat was een probleem. Je kunt in de trein niet naar de bank om geld te halen. Dus besloot ik Rylands truc voor deze ene keer niet toe te passen. Ik zou op de klassieke manier te werk gaan. Op de oude manier. Ik bestudeerde een kaart en ontdekte dat ik later op de trein kon stappen en eerder weer kon uitstappen. Als de trein in Rio aankwam, zou de vrouw al dood in haar couchette liggen. En ik zou allang verdwenen zijn.

De gedachte om weer eens op de oude manier te werk te gaan, was geruststellend.

Ik zag haar in de trein zitten en bleef uit haar buurt. Maar zelfs van een afstand zag ik de ring om haar vinger. Het was een enorme knoeperd. Zo'n grote diamant dat het gewicht waarschijnlijk niet in karaat kon worden aangeduid.

De ring zou als betaalmiddel kunnen dienen. In theorie was hij traceerbaar, maar niet via bepaalde plekken in Amsterdam, Johannesburg of Freetown in Sierra Leone. Hij kon mogelijk een probleem vormen bij de douane, maar ik kon hem doorslikken.

Ik liep door de trein naar haar toe.

Ze was buitengewoon mooi. Ze had een huid als lavendelhoning, lang zwart haar dat glansde, ogen waarin je kon verdrinken. Lange benen, een smalle taille en borsten die haast uit haar blouse knapten. Ik ging tegenover haar zitten en zei: 'Hallo'. Ik verwachtte dat een vrouw die met iedereen tussen de lakens dook me op z'n minst wel een blik waardig zou keuren. Ik bezit een zekere ruige charme. Een paar littekens, het soort onverzorgde uiterlijk dat avontuur ademt. Ze was niet op geld uit; ze was getrouwd met een geldbron. Misschien had ze gewoon behoefte aan afleiding.

Het gesprek begon soepel en ik vond een excuus om om het tafeltje heen te lopen en in de stoel naast haar te gaan zitten. Binnen een uur waren we verwikkeld in zo'n treingesprek waarbij zij een beetje naar links leunde en ik een beetje naar rechts en we boven het geruis van de wind en het gedender van de wielen over ons privéleven praatten. Ze vertelde kort over haar huwelijk en veranderde daarna van onderwerp. Ik leidde het gesprek weer terug. Ik wees naar haar ring en vroeg hoe ze eraan kwam. Ze spreidde haar vingers als een zeester om me de ring te laten zien.

'Van mijn man gekregen,' zei ze.

'Terecht,' ze ik. 'Hij is een geluksvogel.'

'Hij is niet blij met me,' zei ze. 'Ik gedraag me niet zo goed, vrees ik.'

Ik zei niets.

'Volgens mij gaat hij me laten vermoorden,' zei ze.

Daar was het ineens, het onderwerp waar vaak zo moeilijk naartoe te werken viel. Ik had moeten zeggen: 'Dat klopt,' en de onderhandelingen moeten openen. Maar dat deed ik niet.

'Bij elke man die ik ontmoet vraag ik me af: is dit hem?' zei ze.

Toen vond ik mijn stem terug en zei: 'Dit is hem.'

'Echt waar?' zei ze.

Ik knikte. 'Ik ben bang van wel.'

'Maar ik ben voorbereid,' zei ze.

Ze bracht haar hand weer omhoog en het enige wat ik zag was de diamant. Ik kan het mezelf niet kwalijk nemen; de diamant was zo groot en de stiletto was zo slank. Ik zag hem amper. Ik merkte de stiletto pas op toen de punt door mijn overhemd in mijn vlees gleed.

Ze drukte met verrassend veel kracht en gewicht door. Het mes was koud en erg lang. In opdracht gemaakt. Het lemmet stak dwars door me heen en pinde me vast aan de stoel. Met de muis van haar hand stootte ze hem stevig op zijn plek. Daarna veegde ze met mijn stropdas haar vingerafdrukken van het heft.

'Tot ziens,' zei ze.

Ze stond op en liet me daar achter. Ik kon me niet bewegen. Als ik een centimeter naar links of rechts bewoog, zou ik mijn organen aan flarden rijten. Ik zat daar maar en voelde hoe de bloedvlek zich steeds verder verspreidde, tot aan mijn bovenbenen. Ooit had ik je vanaf duizend meter dwars door je kop kunnen schieten. Ik had je kunnen passeren in een menigte en je zou pas merken dat je keel was doorgesneden als je probeerde te knikken en je hoofd zonder jou over straat rolde. Ik was de man voor wie je bang was wanneer je je deuren op slot deed, je beveiligers op hun post zette en naar boven liep om naar bed te gaan, waar je me dan zag staan, tegen je kledingkast geleund, wachtend in het donker.

Ik was de man die altijd wel een manier vond.

Ik was de man die zich niet liet tegenhouden.

Maar toen ontmoette ik Ryland.

En nu is alles voorbij.

Tien kilo

Meestal zit het tegen, maar soms krijg je iets in de schoot geworpen, niet vaak, maar vaak genoeg om je wanhoop te bezweren. Toch moet je niet denken dat er dan iets wordt goedgemaakt. Dat slaat nergens op. Zulke gebeurtenissen hebben niets met jou te maken. Je krijgt iets niet in de schoot geworpen omdat je een goed mens bent, maar omdat andere mensen slecht zijn. En dom.

Er kwam een man een café binnen – dat klinkt als het begin van een grap, en dat was het in wezen ook, in alle opzichten. Het café was een obscure tent met een deur waar de verf van afbladderde en waarop geen naambord hing. Ik kende de plek, net als die man en andere mensen zoals wij. Ik zat aan een tafeltje waar ik vaker had gezeten. Ik zag de man binnenkomen. Ik kende hem, in die zin dat ik hem een paar keer had gezien en hij kende mij dus ook, want als we aannemen dat het universum een bepaalde mate van wederkerigheid kent, had hij mij precies even vaak gezien als ik hem. Ik zag hem, hij zag mij. We waren niet bevriend. Ik wist niet hoe hij heette. Ik verwachtte ook niet dat ik erachter zou komen. Als een man zoals hij zich voorstelt, zuigt hij gegarandeerd een naam uit zijn duim. Dus wat waren we van elkaar? Vage bekenden, denk ik. Maar blijkbaar vond hij dat we elkaar goed genoeg kenden om met mij over zijn problemen te willen praten. Als twee Amerikanen die op een buitenlandse luchthaven zijn gestrand. Je veronderstelt een verwantschap die er in werkelijkheid niet is, en dat maakt het makkelijker om je verhaal te doen. Je vertelt dingen die je onder normale omstandigheden nooit zou vertellen. Deze man in elk geval wel. Hij kwam aan mijn tafeltje zitten en begon uitgebreid te vertellen. Niet meteen, natuurlijk. Ik moest hem een beetje op weg helpen.

'Alles oké?' vroeg ik.

Hij antwoordde niet. Ik drong niet aan. Het was als het starten van een auto die een maand lang heeft stilgestaan. Je begint niet meteen als een gek de sleutel om te draaien. Je geeft de auto de tijd om op gang te komen, zodat de carburateur niet verzuipt, of wat auto's tegenwoordig ook hebben. Je bent geduldig. In mijn vak is geduld heel belangrijk.

'Wil je wat drinken?' vroeg ik.

'Doe maar een Heineken,' zei de man.

Ik begreep meteen dat hij met zijn gedachten elders was. Als je een man zoals hij een drankje aanbiedt, dan vraagt hij om iets duurs en amberkleurigs in een laag glas. Niet om bier. Hij dacht niet goed na. Hij was niet berekenend.

Maar ik wel.

Een oudere vrouw in een kort rokje bracht twee flesjes bier, een voor hem en een voor mij. Hij pakte zijn biertje, nam een grote slok en zette het op tafel, en ik zag aan hem dat hij de eerste complexe verschuiving in onze dynamiek voelde. Ik had een rondje besteld, dus hij was me een gesprek verschuldigd. Hij had iets van me aangenomen, dus hij was het zichzelf verschuldigd om zijn status te herstellen. Ik zag hem een openingszin bedenken, een zin die duidelijk zou maken dat hij geen kleine jongen was.

'Het wordt er niet makkelijker op,' zei hij.

Hij was een witte man, slank, een jaar of vijfendertig, een beetje scheel, het product van vele generaties ruig inteeltvolk uit de bergen, wiens DNA alleen nog in de meest essentiële onderdelen voorzag: armen, benen, ogen, mond. Hij was een beetje een stumper, hij functioneerde, maar was volledig inwisselbaar met tienduizend anderen zoals hij.

'Vertel mij wat,' zei ik somber, alsof ik zijn worsteling begreep.

'Een man moet soms een risico nemen,' zei hij. 'Proberen vooruit te komen. Soms levert het wat op, soms niet.'

Ik zweeg.

'Ik ben begonnen als koerier,' zei hij. 'Heel lang geleden. Begrijp je?'

Ik knikte. Het verbaasde me niet. We bevonden ons tien kilometer van de I-95, en iedereen begon hier als koerier door kilo's coke vanuit Miami of Jacksonville helemaal naar New York en Boston in het noorden te vervoeren. Iedereen met een geloofwaardige kop en een onopvallende auto begon als koerier; de eerste keer een kilootje in de kofferbak, dan twee kilo, dan vijf, dan tien. Vertrouwen moest je verdienen en succes werd beloond, vooral als je ongehinderd over de New Jersey Turnpike wist te komen.

De politie van New Jersey vormde destijds het grootste probleem.

'Moeiteloos, elke keer,' zei de man. 'Nooit problemen.'

'Dus je klom op,' zei ik.

'Ik werd tussenhandelaar,' zei hij.

Ik knikte opnieuw. Het was een logische stap. Waarschijnlijk had hij opdracht gekregen om met zijn geloofwaardige kop en onopvallende auto naar bepaalde buurten te rijden en rechtstreeks met bepaalde lokale distributeurs te praten. Het maakte de keten een schakel korter. Het product ging door minder handen, net als het geld, de boel werd sneller en efficiënter afgehandeld en daardoor was er minder kans dat er iets fout kon gaan.

'Voor wie?' vroeg ik.

'De gebroeders Martinez.'

'Toe maar,' zei ik, en hij fleurde een beetje op.

'Op een gegeven moment verkocht ik per rit tien kilo pure coke,' zei hij.

Mijn bier was al een beetje lauw geworden, maar ik nam toch een slok. Ik wist wat er ging komen.

'Ik reed de coke naar het noorden en het geld naar het zuiden,' zei hij.

Ik zweeg.

'Heb je weleens zoveel geld bij elkaar gezien?' vroeg hij. 'Ik bedoel, in het echt?'

'Nee,' zei ik.

'Je kunt het nauwelijks optillen. Je zou er een hernia van krijgen, zo zwaar is zo'n doos.'

Ik zei niets.

'Ik maakte twee ritten per week,' zei hij. 'Ik zat altijd op de weg. Ik reed groeven in het asfalt. En we waren met tientallen.'

'Een hoop geld, alles bij elkaar,' zei ik, want hij wachtte op mijn voorzetje om de deur naar zijn volgende openbaring te openen. Hij wilde weten of ik het begreep. Hij had mijn toestemming nodig om door te gaan.

'Bakken met geld,' zei hij.

Ik zei niets.

'Er was zoveel geld dat het niets meer voor ze betekende. Waarom zou het ook? Ze zwommen erin.'

'Een man moet soms een risico nemen,' zei ik.

De man reageerde niet. Niet meteen. Ik stak twee vingers op naar de vrouw in het korte rokje en zag haar twee nieuwe flesjes Heineken op een kurken dienblad zetten.

'Ik heb een deel achterovergedrukt,' zei de man. De vrouw zette de volle flesjes neer en nam de lege mee. *Vier import*, zei ik tegen mezelf, zodat ik aan het einde van de avond de rekening kon controleren. Tegenwoordig draait iedereen je een poot uit.

'Hoeveel heb je achterovergedrukt?' vroeg ik de man.

'Nou, alles. Zoveel als tien kilo ze oplevert.'

'En hoeveel was dat?'

'Een miljoen dollar. Cash.'

'Oké,' zei ik enthousiast, met een beetje ontzag, zo van: wow, wat ben jij stoer.

'En ik heb de tien kilo ook gehouden,' zei hij.

Ik keek hem alleen maar aan.

'Uit Boston,' zei hij. 'Die gasten daar zijn paranoia. Ze bewaren het geld en de coke op aparte plekken. En de hele stad ligt open. Met alle omleidingen is het makkelijker om eerst betaald te krijgen en daarna pas te leveren. Ze vertrouwden me op een gegeven moment.'

'Maar deze keer haalde je het geld op en verdween je zonder het product af te leveren.'

Hij knikte.

'Jeetje,' zei ik.

'Ik zei tegen de gebroeders Martinez dat ik beroofd was.'

'Geloofden ze dat?'

'Ik denk het niet,' zei hij.

'Dat is een probleem,' zei ik.

'Maar ik begrijp niet waarom,' zei hij. 'Ik bedoel, hoeveel geld heb je nu op zak?'

'Tweehonderd plus wat kleingeld,' zei ik. 'Ik heb net gepind.'

'Zou je het erg vinden als je vijf cent op straat liet vallen en het in een put rolde? Vijf miezerige centen?'

'Het zou me geen reet kunnen schelen,' zei ik.

'Dat bedoel ik. Het is alsof je tweehonderd dollar op zak hebt en vijf cent kwijtraakt tussen de bankkussens. Waarom zou je daar moeilijk over doen?'

'Bij zulke jongens gaat het niet om het geld,' zei ik.

'Ik weet het,' zei hij.

Het gesprek viel even stil en we namen een slok bier. Het bruiste tegen mijn tanden. Ik weet niet hoe hij zijn biertje vond smaken. Hij proefde het waarschijnlijk amper.

'Ze werken met een vent,' zei hij. 'Octavian, heet hij. Hij is hun speurneus. Hun zware jongen. Hij heeft het op me gemunt.'

'Er worden nu eenmaal weleens koeriers beroofd,' zei ik. 'Shit happens.'

'Octavian schijnt doodeng te zijn. Ik heb vreselijke verhalen over hem gehoord.'

'Je bent beroofd. Wat kan hij doen?'

'Hij kan me dwingen de waarheid te vertellen. Ik heb gehoord dat hij vragen stelt op een manier waardoor je een eerlijk antwoord geeft.'

'Houd je lippen stijf op elkaar. Dan kan hij je niets maken.'

'Ze lieten me een man in een rolstoel zien. Ze zeggen dat Octavian hem een week lang op zijn knieën over een grindpad heen en weer heeft laten kruipen. De strandwandeling, noemt hij het. De pijn schijnt afgrijselijk te zijn. De man kreeg gangreen en verloor zijn benen.'

'Wie is die Octavian?'

'Ik heb hem nog nooit gezien.'

'Is hij ook een Colombiaan?'

'Ik weet het niet.'

'Heeft de man in de rolstoel dat niet verteld?'

'Hij had geen tong meer. Ze zeggen dat Octavian die heeft afgesneden.'

'Je moet een plan maken,' zei ik.

'Hij kan hier nu binnenlopen. Zonder dat ik het in de gaten heb.'

'Daarom moet je snel een plan maken.'

'Ik kan naar LA vluchten.'

'Is dat zo?'

'Niet echt,' zei de man. 'Octavian vindt me wel. Ik wil niet de rest van mijn leven over mijn schouder moeten kijken.'

Ik haalde even diep adem.

'Er worden nu eenmaal weleens koeriers beroofd, toch?' zei ik.

'Het komt voor,' zei hij. 'Het is geen zeldzaamheid.'

'Dan kun je het op die lui in Boston afschuiven. Laat hen het maar met elkaar uitvechten. Je moet de aandacht van jezelf afleiden. Je kunt als onschuldig slachtoffer uit de bus komen. Het eerste slachtoffer. Een held, bijna.'

'Als ik die Octavian kan overtuigen.'

'Daar zijn manieren voor.'

'Welke dan?'

'Overtuig eerst jezelf. Jij bent het slachtoffer. Als jij het gelooft, diep vanbinnen, zal die Octavian het ook geloven. Je speelt gewoon een rol.'

'Zo makkelijk gaat dat niet.'

'Een miljoen dollar is de moeite waard. Twee miljoen, als je die tien kilo kan verkopen.'

'Ik weet het niet.'

'Hou je aan een script. Je weet van niks. Het waren die gasten uit Boston. Wie die Octavian ook is, het is zijn werk om resultaat te boeken, niet om zijn tijd te verspillen aan niks. Jij houdt voet bij stuk, hij vertelt die gebroeders Martinez dat je onschuldig bent en zij gaan verder met hun leven.'

'Misschien.'

'Bedenk een verhaal en hou je eraan. Wéés het verhaal. Method acting, dat deed die dikke vent die pas is overleden ook altijd.'

'Marlon Brando?'

'Ja, die. Doe hetzelfde als hij. Dan komt het goed.'

'Misschien.'

'Maar Octavian gaat je huis doorzoeken.'

'Dat denk ik ook,' zei de man. 'Hij gaat mijn huis helemaal ondersteboven keren.'

'Dus de coke mag er niet liggen.'

'Die ligt er ook niet.'

'Mooi,' zei ik, en ik deed er vervolgens het zwijgen toe.

'Wat bedoel je?' vroeg hij.

'Waar ligt het?'

'Dat ga ik je niet vertellen,' zei hij.

'Maakt niet uit,' zei ik. 'Ik wil het niet eens weten. Waarom zou ik? Maar het is beter als je het zelf ook niet weet.'

'Maar ik weet het toch?'

'Dat is nou net het probleem,' zei ik. 'Die Octavian ziet het aan je ogen. Hij ziet aan je dat je het weet. Als hij je toetakelt, moet hij een leegte in je ogen zien. Alsof je oprecht geen idee hebt. Dat is wat hij moet zien. Maar dat ziet hij niet.'

'Wat ziet hij dan?'

'Hij ziet dat je je mond houdt en bij jezelf denkt: hé, als dit morgen voorbij is ga ik naar mijn blokhut of mijn opslagbox of wat dan ook, en dan zit ik gebakken. Hij zal het aan je zien.'

'Wat moet ik dan doen?'

Ik dronk de laatste slok bier. Het was warm, het koolzuur was er al uit. Ik overwoog nog een rondje te bestellen, maar ik deed het niet. Ik dacht dat we er bijna waren. Ik dacht dat ik niet meer hoefde te investeren.

Tien kilo

'Misschien moet je toch naar LA gaan,' zei ik.

'Nee,' zei hij.

'Dan moet je mij de coke laten bewaren. Dan weet je echt niet waar het is. Die kracht heb je nodig.'

'Ik zou wel gek zijn. Waarom zou ik je vertrouwen?'

'Je hoeft me niet te vertrouwen.'

'Je kunt er met mijn twee miljoen vandoor gaan.'

'Dat zou kunnen, maar dat doe ik niet. Want als ik dat doe, dan bel je Octavian en zeg je dat je je het gezicht van de overvaller herinnert en geef je een beschrijving van mij. Dan is jouw probleem plotseling mijn probleem. En als Octavian zo gevaarlijk is als jij zegt, dan is dat een probleem waar ik niet op zit te wachten.'

'Je kunt me maar beter geloven.'

'Ik geloof je ook.'

'Waar kan ik je daarna vinden?'

'Hier,' zei ik. 'Je weet dat ik hier vaker kom. Je hebt me hier eerder gezien.'

'Method acting,' zei hij.

'Wat je niet weet, kun je ook niet verraden,' zei ik.

Hij was een hele tijd stil. Ik bleef zitten en stelde me voor hoe ik een miljoen dollar in contanten en tien kilo onversneden cocaïne in de kofferbak van mijn auto zou leggen.

'Oké,' zei hij.

'Er staat wel een vergoeding tegenover,' zei ik, om geloofwaardig over te komen.

'Hoeveel?' vroeg hij.

'Vijftigduizend,' zei ik.

Hij glimlachte. 'Oké,' zei hij opnieuw.

'Vijf cent tussen de bankkussens,' zei ik.

'Precies.'

'Win-win voor ons allebei.'

De deur van de kroeg ging open, en samen met een vlaag warme lucht kwam er een man binnen. Latino, klein en breed, grote handen, een lelijk litteken hoog op zijn wang.

'Ken je hem?' vroeg mijn nieuwe beste vriend.

'Nog nooit gezien.'

De nieuwe man liep naar de bar en ging op een kruk zitten.

'We moeten het nu meteen regelen,' zei mijn nieuwe beste vriend.

Soms wordt iets je gewoon in de schoot geworpen.

'Waar ligt het?' vroeg ik.

'In een oude caravan in het bos,' zei hij.

'Is het een groot pakket?' vroeg ik. 'Ik heb dit nooit eerder gedaan.'

'Tien kilo is tweeëntwintig pond,' zei de man. 'En het geld is ongeveer even zwaar. Twee weekendtassen, dat is alles.'

'Laten we gaan,' zei ik.

We reden in mijn auto naar het westen en toen naar het zuiden, hij stuurde me via een brandweg naar een zandpad dat naar een open plek leidde. Ik vermoedde dat de boel hier ooit goed onderhouden was geweest, maar nu was het een overwoekerde bende, het stonk er naar dierenpis en de caravan was afgetakeld van een prima vakantiehuisje tot een verrot gevaarte. Het was bedekt met een laag schimmel en meeldauw en de ramen waren zwart van de organische derrie. Hij rommelde wat met de deur en ging naar binnen. Ik opende de kofferbak en wachtte. Hij kwam naar buiten met in elke hand een weekendtas. Hij droeg ze naar mijn auto.

'Welke is welke?' vroeg ik.

Hij ging op zijn hurken zitten en ritste ze open. In de ene tas zaten stapels gebruikte bankbiljetten, in de andere harde, gladde pakketten wit poeder in doorzichtig plastic.

'Oké,' zei ik.

Hij ging staan en zette de tassen in de kofferbak. Ik deed een stap opzij en schoot hem twee keer door zijn hoofd. Vogels fladderden aan alle kanten op, en na wat gekwetter en gekras streken ze weer neer in de bomen. Ik stopte het pistool terug in mijn zak en pakte mijn mobiele telefoon. Ik toetste een nummer in.

'Ja?' vroegen de gebroeders Martinez in koor. Ze zetten de telefoon altijd op de speaker. Ze waren zo bang dat de ander ze een loer zou draaien dat ze elkaar geen privégesprekken toestonden.

'Met Octavian,' zei ik. 'Het is gelukt. Ik heb het geld terug en heb met die vent afgerekend.'

'Nu al?'

'Ik had geluk,' zei ik. 'Het werd me in de schoot geworpen.'

'En de tien kilo?

'Nergens te vinden,' zei ik. 'Allang verdwenen.'

Geen paniek

Wolfe was een stadsjongen. Vanaf zijn geboorte had zijn wereld uit staal en beton bestaan, eerst één huizenblok, toen twee, toen vier, toen acht.

Bomen waren alleen zichtbaar vanaf het dak van het gebouw waar hij woonde, ver weg aan de andere oever van de East River, zo onbereikbaar als sprookjes.

Tot zijn achtentwintigste had hij gemaaid gras alleen op het buitenveld van het Yankee Stadium gezien. Hij was zich niet bewust van de chloorsmaak van het kraanwater in de stad, en voor hem gold het geraas van het verkeer als absolute stilte.

Nu woonde hij op het platteland.

Ieder ander zou het een buitenwijk hebben genoemd, maar de huizen stonden ver uit elkaar en je wist alleen wat je buurman kookte als je werd uitgenodigd om te komen eten. En je had er insecten in de tuin, herten, soms muizen in de kelder en hopen afgevallen bladeren in de herfst. Elektriciteit kwam van draden die aan masten hingen en water kwam uit putten.

Voor Wolfe was dat het platteland.

De ongerepte natuur.

Het was een lange, moeizame weg geweest. Die lange, moeizame weg ging drieëntwintig jaar eerder van start op een openbare basisschool in The Bronx. In die dagen kreeg een jongen al vroeg een stempel opgedrukt. Hooligan, mislukkeling, vakman, genie; het etiket werd stevig op zijn plek geplakt en bleef voor altijd zitten.

Wolfe was een tamelijk brave leerling en redelijk goed in techniek en rekenen, dus hij werd in het hokje van vakman geplaatst en het lag in de lijn der verwachting dat hij later loodgieter, elektricien of airco-installateur zou worden. Het zat er dik in dat hij bij een buurtzaak in de leer zou gaan en er dan vijfenveertig jaar zou werken. En dat is precies hoe het Wolfe verging. Hij koos voor het pad van elektricien en had er al tien van de vijfenveertig jaar opzitten toen het gebeurde.

Wat er gebeurde was dat de bouwhausse in de buitenwijken uiteindelijk te veel werd voor de plaatselijke vader-en-zoon installatiebedrijfjes. Dat was alles wat ze daar hadden. Kleine spelers, familiebedrijven met één werkbusje en een moeder die de facturen opstelde. Hetzelfde gold voor de lokale dakdekkers, loodgieters en gipsplatenzetters. De vraag was groter dan het aanbod. Maar de ontwikkelaars roken geld en accepteerden geen vertragingen. Dus ze zetten hun trots opzij, stuurden flyers naar de vakbondskantoren in de stad en stuurden er vervolgens busjes naartoe: ’s ochtends om zeven uur ophalen, voor het avondeten weer terug. Ze boden concurrerende lonen. De begrotingen van de stad zaten muurvast.

Wolfe was niet de eerste die zich aanmeldde, maar ook niet de laatste. Elke ochtend stapte hij om zeven uur in een Dodge Caravan vol speelgoed van de kinderen van een ploegbaas uit de buitenwijken. Na hem stapten er nog een paar stadsjongens in. Ze waren stil en somber tijdens de rit van een uur, maar ze keken met een zekere nieuwsgierigheid uit het raampje. Sommige jongens werden al snel afgezet in een aangeharkt dorp vol grote, lege kavels. Anderen bleven zitten tot de bomen steeds dichter op elkaar stonden en ze het noorden van de county bereikten.

Wolfe werd bij de laatste stop op de route aan het werk gezet.

Iedereen die wat meer van de wereld had gezien dan Wolfe zou de omgeving terecht hebben beschreven als een licht glooiend landschap met honderd jaar oud secundair bos en een paar zwerfkeien, smalle beekjes en vijvertjes. Voor Wolfe waren het de Rocky Mountains. Hij vond het spectaculair. De vogels zongen, eekhoorns dartelden voorbij, de stenen waren begroeid met grijze kostmossen en overal zag je welig tierende planten.

Hij werd aan het werk gezet in een houten huis dat op een stuk grond van drieënhalf hectare werd gebouwd. Alles was er anders dan in de stad. De grond onder zijn voeten was modderig. Elektriciteit werd aangevoerd via een dikke kabel, afgetakt van een andere kabel die tussen twee met teer behandelde palen langs de weg liep. De nieuwe stroomtoevoer eindigde bij een meter en een schakelkast die was bevestigd aan een multiplex plank die als een grafsteen in de grond stond. De toevoer was 200 ampère. De kabel liep door een met grind bedekte geul onder de toekomstige oprit die zo lang was als de Grand Concourse, en kwam uit in de toekomstige kelder via een opening in de betonnen fundering.

Vanaf dat punt moest Wolfe ermee aan de slag.

Hij werkte meestal alleen. Gipsplaatploegen waren schaars en er werden geen andere werklui verwacht totdat hij klaar was. Daarna zouden ze snel de gipsplaten plaatsen en weer vertrekken. Wolfe was dus een klein radertje in een grote, uitgebreide machine, en dat vond hij prima. Het was vrij gemakkelijk werk en hij vond het leuk om te doen. Hij hield van de geur van het ruwe hout en van het gemak waarmee hij met een schroefboor in houten balken kon boren, in plaats met een klopboor door baksteen of beton te moeten beuken. Hij vond het prettig dat hij meestal rechtop kon staan in plaats van te moeten kruipen. Hij hield van de schone, frisse werkomgeving. Beter dan werken in bergen oude rattenstront.

Ook begon hij steeds meer van de omgeving te houden.

Elke dag nam hij een lunchpakket mee van een zaakje in de stad. Eerst at hij dit op in wat de garage zou worden, zittend op een plank. Daarna waagde hij zich naar buiten en ging hij op een grote steen zitten. Vervolgens ontdekte hij een betere steen aan de oever van een beek. Toen ontdekte hij aan de overkant van de beek een plek met twee stenen, de ene leek op een tafel en de andere op een stoel.

Ten slotte ontdekte hij een vrouw.

Ze liep door het bos, met snelle passen, terwijl planten tegen haar benen zwiepten. Hij zag haar wel, maar zij zag hem niet. Ze was in gedachten verzonken. Ze leek boos, of verdrietig. Ze had iets weg van een plattelandsfee. Een bosgodin. Ze was lang en recht, ze had wild stroblond haar en droeg geen make-up. Ze had wat tijdschriften hoge jukbeenderen noemen, blauwe ogen en bleke, verfijnde handen.

Later hoorde Wolfe van de ploegbaas dat het stuk grond waarop hij werkte ooit van haar was geweest. Ze had drieënhalf van de twaalf hectare verkocht voor bebouwing. Wolfe hoorde ook dat haar huwelijk in zwaar weer verkeerde. Het gerucht ging dat haar man een klootzak was. Hij was een Wall Street-jongen die met de metro naar zijn werk ging. Hij was bijna nooit thuis, maar als hij thuis was, maakte hij haar het leven zuur. Het verhaal ging dat hij had geprobeerd haar ervan te weerhouden de drieënhalve hectare te verkopen, maar de grond was van haar. Er werd gezegd dat ze continu ruziemaakten, op die ingehouden, half verborgen manier waarop nette mensen ruziemaken. Mensen hadden de echtgenoot horen zeggen: ik vermoord je godverdomme nog eens. Het verhaal ging dat ze hetzelfde tegen hem had gezegd, zij het in wat nettere bewoordingen.

Roddels waren in de buitenwijken verbazingwekkend gedetailleerd. Waar Wolfe vandaan kwam, had je geen roddels nodig. Je hoorde alles door de muren heen.

Ze betaalden Wolfe anderhalf keer zijn loon om op zaterdagen te werken, en deden daar nog flink wat bovenop als hij de telefoonlijnen en kabels zou doortrekken. Als vakbondslid had hij het aanbod moeten afslaan. Maar er zouden modems komen, een mediakamer, en telefoonverbindingen in vijf slaapkamers die drie lijnen zouden delen. Plus een fax en een DSL-optie. Dus hij nam het geld aan en voerde de klus uit.

Hij zag de vrouw bijna elke dag.

Zij zag hem niet.

Hij leerde haar dagelijkse gewoonten kennen. Ze had een groene Volvo stationwagen, en als ze boodschappen ging doen, zag hij haar over de nieuwe oprit rijden. Op een dag zag hij haar langsrijden, legde zijn gereedschap neer en liep door het bos over de erfgrens haar land op. Hij liep waar zij had gelopen. De bomen stonden dicht op elkaar, maar na een meter of twintig kwam hij uit op een breed gazon dat naar haar huis leidde. De eerste keer stopte hij daar, precies aan de rand.

De tweede keer ging hij iets verder.

Na de vijfde keer had hij haar hele terrein verkend. Hij had alles bekeken. Hij had zijn schoenen uitgedaan en was op zijn sokken door haar keuken gelopen. Ze deed de deur niet op slot. Niemand deed dat in de buitenwijken. Het had iets deftigs. 'Wij doen onze deuren nooit op slot,' zeiden ze allemaal met een lachje.

Hoe dom kun je zijn.

Wolfe legde de laatste hand aan de verwarmingsinstallatie in de nieuwe kelder en begon daarna op de begane grond. Elke dag nam hij zijn lunch mee naar de plek met de twee stenen.

Op een zaterdag met anderhalf keer loon zag hij de vrouw met haar man samen. Ze stonden op hun gazon ruzie te maken.

Ze liepen heen en weer over het gras in de brandende zon en Wolfe sloeg hen tussen de boomtakken door gade, alsof ze op een podium stonden onder een flitsende stroboscoop. In een disco. Snelle opeenvolgende bewegingen vol woede en verdriet. De man was inderdaad een klootzak. Hij was volkomen onredelijk, vond Wolfe.

Hoe meer de man tegen de vrouw tekeerging, hoe mooier ze werd.

Ze leek op een martelares in een kerkraam: gewond, kwetsbaar, verheven.

Toen sloeg de klootzak haar.

Het was een grote, meisjesachtige uithaal. Als je zoiets deed waar Wolfe vandaan kwam, zou je tegenstander je eerst vierkant uitlachen en dan tot moes slaan. Maar bij de vrouw had het effect. De klootzak was groot en vadsig en zette zoveel van zijn logge gewicht achter de klap dat ze achterover in het gras viel. Verbijsterd ging ze rechtop zitten. Vol ongeloof. Er zat een vuurrode plek op haar wang. Ze begon te huilen. Geen tranen van pijn. Niet eens tranen van woede. Het waren tranen van diep verdriet, dat al het moois dat het leven haar had beloofd, was uitgelopen op dit moment: op haar achterwerk gesmeten in haar eigen achtertuin, met de afdruk van vier vingers en een duim op haar gezicht.

Kort daarna was het het Fourth of July-weekend en bleef Wolfe vier dagen thuis.

Toen de Dodge Caravan hem weer had afgezet, zag hij een paar auto's van de plaatselijke politie de weg afrijden. Waarschijnlijk kwamen ze van het huis van de vrouw. Ze hadden geen zwaailichten aan. Hij wierp er twee vluchtige blikken op en ging aan het werk. Hij was bezig op de eerste verdieping met drie verlichtingscircuits. Er moesten geschakelde stopcontacten en plafondarmaturen komen. En wandarmaturen in de badkamers. Maar blijkbaar had het gejank van zijn boor de vrouw gewaarschuwd dat hij er was, want ze kwam aan de deur. Het was de eerste keer dat ze hem zag. Voor zover hij wist. Het was in elk geval de eerste keer dat ze met elkaar spraken.

Ze liep over de grindoprit, leunde langs de multiplex plaat die dienstdeed als voordeur en riep: 'Hallo?'

Wolfe hoorde haar boven het gegier van de boor uit en daverde de trap af. Ze stond al in de gang. Het zonlicht maakte een aureool van haar haar. Ze droeg een oude spijkerbroek en een T-shirt. Ze was het toppunt van schoonheid.

'Sorry dat ik stoor,' zei ze.

Haar stem klonk als de omhelzing van een engel.

'Maakt niet uit,' zei Wolfe.

'Mijn man is verdwenen,' zei ze.

'Verdwenen?' vroeg Wolfe.

'Hij was dit weekend niet thuis en is vandaag niet op zijn werk verschenen.'

Wolfe zei niets.

'De politie komt je waarschijnlijk opzoeken,' zei de vrouw. 'Ik ben hier om er alvast mijn excuses voor aan te bieden. Dat was alles, eigenlijk.'

Maar Wolfe wist dat dat niet waar was.

'Waarom zou de politie me opzoeken?' vroeg hij.

'Volgens mij moeten ze dat. Zo gaan ze nu eenmaal te werk. Ze willen waarschijnlijk weten of je iets hebt gezien. Of... iets vreemds hebt gehoord.'

De manier waarop ze 'iets vreemds' zei, maakte duidelijk dat het eigenlijk een directe vraag van haar aan hem was, niet iets wat de politie hem misschien zou vragen. Zo van: heb je iets gehoord? Ja of nee?'

'Ik ben Wolfe,' zei hij. 'Aangenaam.'

'Ik ben Mary. Mary Lovell,' zei de vrouw.

Lovell. *Love*, met twee extra letters.

'Heb je iets gehoord, meneer Wolfe?'

'Nee,' zei Wolfe. 'Ik ben hier alleen aan het werk. Ik maak zelf ook de nodige herrie.'

'Het is gewoon dat de politie een beetje... koel tegen me doet. Als er een vrouw verdwijnt, verdenkt de politie altijd de echtgenoot. Totdat het tegendeel bewezen is. Ik vraag me af of ze dat nu ook zullen doen, maar dan omgekeerd.'

Wolfe zei niets.

'Vooral als iemand iets vreemds heeft gehoord,' zei Mary Lovell.

'Ik heb niets gehoord.'

'Vooral als de vrouw niet erg van slag is.'

'Ben je niet van slag?'

'Ik ben een beetje verdrietig. Omdat ik blij ben.'

Inderdaad stond twee uur later de politie voor de deur. Twee agenten van de plaatselijke politie, in uniform. Waarschijnlijk was het politiebureau niet groot genoeg om rechercheurs in dienst te hebben. De agenten stelden zich beleefd voor en staken vervolgens een lang en warrig verhaal af dat in feite een opsomming was van de lokale roddels. Het echtpaar lag met elkaar overhoop, ze hadden altijd ruzie, daar stonden ze om bekend. De agenten zeiden eerlijk, van man tot man, dat ze als de vrouw verdwenen zou zijn de man stevig aan de tand gevoeld zouden hebben. Het omgekeerde was zeldzaam, maar het kwam voor, en eerlijk is eerlijk, er gaan geruchten. Dus, vroegen ze, had meneer Wolfe misschien meer informatie?

Nee, zei meneer Wolfe, dat had hij niet.

'Heb je ze nooit gezien?' vroeg de eerste agent.

'Ik heb haar volgens mij weleens gezien,' zei Wolfe. 'In haar auto. Tenminste, ik denk dat zij het was. Ze kwam uit die richting.'

'Groene Volvo?'

'Ja, klopt.'

'Heb je hem nooit gezien?'

'Nee,' zei Wolfe. 'Ik ben hier alleen aan het werk.'

'Weleens iets gehoord?'

'Zoals wat?'

'Zoals ruzies, of woordenwisselingen.'

'Nee, niets.'

'Deze man heeft blijkbaar een dikke baan in de stad opgegeven. En dat doen mannen niet. Mannen huren advocaten in.'

'Wat wil je horen?'

'We zeggen het alleen even.'

'Wat bedoel je?'

'De laadruimte van die Volvo is twee meter vijftien, als je de stoelen omlaag klapt.'

'Dus?'

'Dus het zou ons helpen om te weten of je niet toevallig uit het raam hebt gekeken en die Volvo zag langsrijden met iets van zo'n een meter negentig lang dat in een tapijt, een kleed of een stuk zeil was gewikkeld.'

'Nee, dat heb ik niet gezien.'

'Er is bekend dat ze dreigementen heeft geuit. Hij ook. Serieus, als zij verdwenen was, zouden alle ogen op hem gericht zijn.'

Wolfe zei niets.

'Daarom moeten we naar haar kijken. Vanwege gelijke behandeling. Dat wordt ons opgelegd.'

De agent keek Wolfe nog een laatste keer aan, als werkende mannen onder elkaar, op zoek naar solidariteit, hopend op een aanwijzing.

Maar Wolfe zei alleen: 'Ik ben hier aan het werk. Ik zie niets.'

Wolfe zag de hele dag politieauto's af en aan rijden. Hij ging die avond niet naar huis. Hij liet de Dogde Caravan zonder hem vertrekken en ging naar het huis van Mary Lovell.

'Ik kwam even kijken hoe het met je gaat,' zei hij.

'Ze denken dat ik hem heb vermoord,' zei ze.

Ze ging hem voor naar de keuken waar hij al eens was geweest.

'Er zijn getuigen die hebben gehoord dat ik hem bedreigde. Maar die bedreigingen waren loos. Gewoon dingen die je zegt als je ruzie hebt.'

'Iedereen zegt dat soort dingen,' zei Wolfe.

'Maar ze maken zich vooral zorgen vanwege zijn werk. Ze zeggen dat niemand een baan als de zijne zomaar opgeeft. Dat is ook zo. En áls iemand dat zou doen, dat zou diegene zijn creditcard gebruiken voor een vliegticket of een hotel. En dat heeft hij niet gedaan. Dus waar is hij? In een of ander smerig motel dat hij cash betaalt? Waarom zou hij dat doen? Daar zeuren ze maar over door.'

Wolfe zei niets.

'Hij is gewoon in rook opgegaan. Het is onmogelijk te verklaren.'

Wolfe bleef stil.

'Ik zou mezelf ook verdenken. Echt waar,' zei Mary Lovell.

'Is er een pistool in huis?' vroeg Wolfe.

'Nee,' zei Mary.

'Zijn alle keukenmessen er nog?'

'Ja.'

'Hoe denken ze dan dat je hem vermoord hebt?'

'Dat hebben ze niet gezegd.'

'Ze hebben geen enkel bewijs,' zei Wolfe.

Toen werd hij stil.

'Wat?' vroeg Mary.

'Ik heb gezien dat hij je sloeg,' zei Wolfe.

'Wanneer?'

'Vlak voor het Fourth of July-weekend. Ik stond tussen de bomen, jullie stonden op het gazon.'

'Stond je ons te bespioneren?'

'Ik zag jullie. Dat is iets anders.'

'Heb je dat aan de politie verteld?'

'Nee.'

'Waarom niet?'

'Ik wilde eerst met jou praten.'

'Waarover?'

'Ik wilde je iets vragen.'

'Wat dan?'

'Heb je hem vermoord?'

Na een kleine hapering, haast onmerkbaar, zei Mary Lovell: 'Nee.'

Die nacht begon het. Ze voelden zich samenzweerders. Mary Lovell was het soort voorstedelijke avant-garde-bohemienne dat een elektricien uit The Bronx niet zomaar afwees. En Wolfe had niets tegen chique vrouwen. Helemaal niets.

Wolfe ging nooit meer naar huis. De eerste drie maanden waren zwaar.

Dat ze vijf dagen nadat haar man voor het laatst levend was gezien een nieuwe minnaar had, maakte de situatie er voor Mary Lovell niet beter op. Integendeel. De geruchtenmolen draaide op volle toeren en de politie liet haar geen moment met rust.

Maar ze sloeg zich erdoorheen. 's Nachts, met Wolfe, voelde ze zich goed. Ze wist dat er een klein zaadje van twijfel in zijn hoofd geplant moest zijn, en dat bond haar aan hem. Hij begon er nooit over. Zijn loyaliteit was onwankelbaar. Het maakte dat ze aan hem toegewijd was, onvoorwaardelijk, als een vanzelfsprekendheid. Alsof ze een prinses was en bij haar geboorte aan hem was beloofd. Dat ze hem aardig vond, maakte het alleen maar mooier.

Na drie maanden verlegden de agenten hun aandacht naar iets anders. Het dossier van meneer Lovell begon stof te verzamelen als onopgeloste zaak. De geruchtenmolen kwam tot stilstand. Binnen een jaar was de hele zaak verleden tijd. Mary en Wolfe konden goed met elkaar opschieten. Het leven was mooi. Wolfe begon voor zichzelf als zelfstandig aannemer. Hij werkte voor plaatselijke projectontwikkelaars met een werkbusje dat Mary voor hem kocht. Zij verzorgde de facturen.

De relatie verzuurde nog vóór hun derde kerst. Uiteindelijk moest Mary zichzelf bekennen dat haar elektricien uit The Bronx, afgezien van haar bohémienne-achtige zwak voor hem, een beetje... saai was. Hij wist niets. En zijn familie was een roedel wilde dieren.

Het feit dat ze aan hem gebonden was door het kleine zaadje van twijfel dat in zijn hoofd geplant moest zijn, werd een bron van wrevel in plaats van charme. In plaats van geheime samenzweerders waren ze nu celgenoten in de gevangenis die was opgetrokken door haar allang vergeten echtgenoot.

Op zijn beurt begon Wolfe zich steeds meer aan Mary te ergeren. Ze deed zo superieur over alles. Ze was zo zelfingenomen, zo arrogant. Ze hield niet van honkbal. En ze zei dat ze zelfs als ze wel van honkbal hield, niet voor de Yankees zou zijn. Want de Yankees dachten succes te kunnen kopen. En zij zeker niet?

Wolfe begon zelfs enige sympathie te voelen voor de lang vergeten echtgenoot.

Een keer dacht hij terug aan de klap op het gazon. De lange uithaal van de arm van de man, de boog van zijn hand. Hij stelde zich voor dat zijn eigen hand door de lucht zou zoeven, en hoe de stekende pijn voelde op het moment dat hij haar raakte.

Misschien had ze het wel verdiend.

Op een dag stond hij tegenover haar in de keuken en merkte hij dat zijn arm dezelfde beweging wilde maken. Hij hield zich in. Mary had het niet in de gaten. Misschien stond ze ook wel op het punt om hém te slaan. Het leek slechts een kwestie van tijd.

Tijdens hun derde kerst ging het mis. Of om precies te zijn, in de dagen na hun derde kerst. De feestdagen zelf verliepen oké. Min of meer. Daarna begon ze weer bekakt te doen. Zoals gewoonlijk. In The Bronx vierde je kerst en daarna gooide je de kerstboom op de stoep. Maar zij wachtte altijd tot 6 januari en plantte de boom dan in de tuin. 'Zonde om iets levends weg te gooien,' zei ze dan.

Hij moest van haar een kerstboom met een kluit kopen. Hij had nog nooit een kerstboom met kluit gezien. Voor hem voelde het helemaal verkeerd. Een kerstboom met een kluit impliceerde een vooruitziende blik, zorg voor de lange termijn, en een soort door schuldgevoel gedreven zelfrechtvaardiging. Alsof je alleen plezier mocht hebben als je daarna iets deed om het weer goed te maken. Zo ging het niet in Wolfes wereld. In Wolfes wereld was plezier gewoon plezier. Er bestond geen voor of na.

Zij vond een boom planten geinig. Voor hem betekende het een loodzwaar uur graven in de vrieskou.

Ze kregen er natuurlijk ruzie over. Lang, luid en hevig. Binnen een paar tellen ging het over klasse, achtergrond en cultuur. Beledigingen vlogen over en weer. De sfeer werd steeds vijandiger. Ze stopten pas toen ze fysiek te moe waren om verder te gaan. Wolfe was geschokt. Ze had hem diep geraakt. Tot in zijn ziel: geen enkele vrouw zou zo tegen een man mogen spreken. Hij wist dat het een verachtelijke gedachte was. Hij wist dat het fout was, ouderwets, te traditioneel voor woorden. Maar zo was hij nu eenmaal.

Toen hij haar aankeek besefte hij dat hij haar haatte.

Hij pakte zijn handschoenen, trok zijn donsjas aan, greep de kerstboom bij een tak beet en smeet hem door de achterdeur naar buiten.

Hij liep zelf via de garage naar de tuin en nam onderweg een schop mee. Hij sleepte de boom achter zich aan naar de rand van het gazon, in de schaduw van een grote esdoorn, waar maar een dun laagje sneeuw lag en die klotekerstboom geheid zou verpieteren. Hij schopte de bladeren en de sneeuw weg en stak de schop in de grond. Hij gooide de klonten aarde ver weg tussen de bomen. Hij hakte met woeste bewegingen de wortels van de esdoorn door. Na tien minuten liep het zweet over zijn rug. Na een kwartier was het gat ruim een halve meter diep.

Na twintig minuten vond hij het eerste bot. Hij zakte op zijn knieën. Veegde met zijn handen de aarde weg. Het bot was vuilwit, langwerpig, en had de vorm van zo'n bot dat je in tekenfilms aan een hond geeft.

Er hingen draderige, uitgedroogde pezen aan en een stuk vergaan katoen.

Wolfe ging staan. Hij draaide zich langzaam om en keek naar het huis. Hij liep ernaartoe. Stopte in de keuken. Deed zijn mond open om iets te zeggen.

'Kom je je excuses aanbieden?' zei Mary.

Wolfe draaide zich weer om. Hij pakte zijn telefoon en belde het alarmnummer.

De plaatselijke politie haalde de staatspolitie erbij. Mary kreeg een soort onofficieel huisarrest in de keuken totdat de opgraving voltooid was. Een inspecteur van de staatspolitie kwam met een huiszoekingsbevel. Een van zijn mannen trok in de garage een oude kast van de muur en vond er een hamer. Timmermansgereedschap.

Op de hamer zaten opgedroogd bloed en oude haren. De hamer werd in een zak gestopt en meegenomen naar de tuin. De kop van de hamer paste precies bij het gat in de schedel die ze in de grond hadden gevonden.

Op dat moment werd Mary Lovell gearresteerd voor de moord op haar echtgenoot.

Toen nam het lab het over. Tandheelkundig, bloed- en DNA-onderzoek wees uit dat het stoffelijk overschot van de echtgenoot was. Zonder twijfel. Het bloed en de haren op de hamer waren ook van hem. Ook daar bestond geen twijfel over. Op het handvat van de hamer zaten Mary's vingerafdrukken. Drieëntwintig punten van overeenkomst, meer dan genoeg voor de lokale politie, de staatspolitie en de FBI bij elkaar.

Vervolgens namen de advocaten het over. De openbare aanklager was in zijn nopjes met de zaak. Het opsluiten van een witte vrouw uit de middenklasse zou zijn onpartijdigheid en objectiviteit bewijzen. Mary nam een advocaat in de arm, de vriend van een vriend. Hij was goed, maar werd overtroffen. Niet door de openbaar aanklager, maar door het overweldigende bewijs.

Mary hield aanvankelijk haar onschuld vol, maar haar advocaat haalde haar over om schuld te bekennen aan doodslag. Heftige emoties, een vlaag van verstandsverbijstering, eeuwige spijt en wroeging. Dus op een dag in de late lente zag Wolfe in de rechtszaal dat ze tot minstens tien jaar gevangenisstraf werd veroordeeld. Ze keek hem tijdens de hele zitting maar één keer aan. Daarna ging Wolfe terug naar haar huis.

Hij woonde er jarenlang alleen. Hij bleef werken en stelde zijn eigen facturen op. Hij begon van de eenzaamheid en de stilte te houden.

Soms reed hij naar het honkbalstadion, maar toen parkeren twintig dollar werd, besloot hij dat zijn Bronx-tijd voorbij was. Hij kocht een breedbeeld-tv. Hij sloot uiteraard zelf de kabels aan. Hij keek de wedstrijden thuis. Soms bleef hij na de laatste out in het donker zitten en dacht hij terug aan de moordzaak. Agenten, advocaten, tientallen. Ze hadden alles bij elkaar behoorlijk grondig werk geleverd.

Maar ze hadden zichzelf twee cruciale vragen niet gesteld.

Ten eerste: zagen Mary Lovells bleke, verfijnde handen er echt uit alsof ze gewend was hamers en schoppen te hanteren? Waarom had de plaatselijke politie in die eerste fase geen rode blaren op haar handen gezien?

En ten tweede: hoezo wist Wolfe precies waar hij dat gat voor die klotekerstboom moest graven? Direct na de ruzie? Politieagenten geloven toch niet in toevalligheden?

Maar al met al ging Wolfe ervan uit dat er geen reden tot paniek was.

In elk opzicht normaal

In 1954 was de politie van San Francisco even goed of slecht als elk ander politiekorps van grote steden in de VS. Dat wil zeggen: wisselend van kwaliteit. Het korps was eervol, ijverig, met tegenzin plichtsgetrouw, lui en defensief, corrupt tot op het bot, grof en gewelddadig. Met andere woorden: in elk opzicht normaal. Dat gold ook voor de beschikbare middelen. Nu lijken die vreselijk ontoereikend, maar toen was het alles wat ze hadden. Typemachines en carbonpapier, dossiers in kartonnen dozen en oude draaitelefoons die op nog uit de oorlog stammende metalen bureaus stonden te pronken.

Het spreekt voor zich dat er geen computers waren. En ook geen databases. Geen zoekmachines. Geen trefwoorden of metadata. Geen automatische matches. Alles wat er was, waren mannen in een kamer. Mannen met een gebrekkig geheugen. Sommigen van hen dronken. De meesten, eigenlijk. Sommigen deden meer moeite om te vergeten dan om te onthouden. Zo waren de tijden. Het resultaat was dat nieuwe misdrijven vaak als opzichzelfstaand werden beschouwd. Het risico bestond dat verbanden, overeenkomsten en connecties met eerdere misdaden onopgemerkt bleven.

Dat gold voor alle politiekorpsen. Niet alleen voor die van San Francisco. Elk korps loste dit probleem feitelijk op dezelfde manier op.

Afzonderlijk en onafhankelijk van elkaar, en met vallen en opstaan, kwam men overal op hetzelfde uit: de archiefmedewerker werd de bron van alle kennis. Vaak was het een doorgewinterde oudgediende, die soms aan een bureau gekluisterd was vanwege een schietpartij of mishandeling, en de scepter zwaaide over een kelder vol stoffige oude dossiers en uitpuilende oude dozen in kasten. Vaak zat zo iemand er al jaren. Vaak was het iemand die graag kletste en roddelde en die zich van alles herinnerde. Hij kende overal wel iemand die weer iemand kende, in elk deel van de stad. Hij was een levende database, hoe imperfect ook, en de mannen die overal wel iemand kenden vormden een netwerk, zij het ietwat eenzijdig en onvolledig. Informatietechnologie die op koolstof draaide. Niet op silicium. Dat was alles. Het was overal hetzelfde.

Maar op één politiebureau in San Francisco was de archiefmedewerker geen doorgewinterde oudgediende. Het was een nieuweling, een buitenbeentje genaamd Walter Kleb. Hij was destijds haast nog een kind. Hij was verlegen, onhandig en had een onbeholpen manier van doen. Hij stotterde niet, maar soms moest hij een zin eerst in zijn hoofd uitproberen, en misschien zelfs geluidloos met zijn lippen oefenen, voordat hij hem hardop kon uitspreken. Iedereen vond hem een rare. Er zat een schroefje bij hem los. Hij was niet goed bij zijn hoofd. Achterlijk. Hij was getikt, gestoord, spastisch, geschift, schizofreen, een mafklapper, een freak. In 1954 was er geen beter vocabulaire voor zulke dingen. Hij had zich door de politieacademie geworsteld. Hij deugde eigenlijk nergens voor, maar zijn cijfers op papier waren hoog. Nooit eerder vertoond, zo hoog. Niemand wist hoe ze van hem af moesten komen. Uiteindelijk kreeg hij een functie binnen het team.

Hij verscheen in een overdreven gesteven uniform dat bij de hals veel te ruim was. Een gênante vertoning. In recordtijd werd hij naar het archiefhok overgeplaatst. Zonder jarenlange ervaring. Zonder schietpartij of mishandeling. Maar hij was in zijn element in de kelder. Het grootste deel van de tijd zat hij daar in zijn eentje, met niets anders te doen dan dingen lezen, opzoeken, alfabetiseren en in chronologische volgende rangschikken. Af en toe kwamen er collega's naar hem toe, dan deden ze extra beleefd en vriendelijk tegen hem, omdat ze iets van hem wilden. Ze kwamen een dossier terugbrengen, of ophalen, misschien zonder dat iemand het wist, ze zochten een document dat per ongeluk was zoekgeraakt, of ze wilden iets zoekmaken dat per ongeluk was gevonden.

Wat geen van hen deed, was databasevragen aan hem stellen. Waarom zouden ze? Wat zou dat achterlijke broekie dat er nog maar vijf minuten werkte moeten weten? Het was jammer, vond Kleb, want hij wist wel degelijk wat. Het vele lezen en opzoeken begon vruchten af te werpen. Goed, hij had geen netwerk van kerels die kerels kenden. Dat kon hij niet bieden. Hij was niet iemand die een doorgewinterde oudgediende in het naastgelegen district kon bellen om twintig minuten te roddelen. Of om een gunst te vragen. Of een gunst te verlenen. Zo iemand was hij niet. Maar hij was wel iemand die lijsten maakte, van verbanden hield en onregelmatigheden herkende. Hij vond dat zijn collega's hem vragen hadden moeten stellen. Natuurlijk sprak hij nooit als eerste. Nou ja, één keer. Eind januari. En moet je zien hoe dat afliep.

Een rechercheur genaamd Cleary kwam naar beneden en vroeg om een dossier van bijna een jaar oud. Kleb kende het dossier. Hij had het gelezen. Het was een onopgeloste moordzaak.

Waarschijnlijk ging het om een politieke moord. Mogelijk op het niveau van geheim agenten. Er waren bepaalde interessante factoren.

'Is er een doorbraak in de zaak?' vroeg Kleb.

Cleary keek alsof hij een klap in zijn gezicht had gekregen. Eerst dacht Kleb dat hij niet zozeer beledigd was maar gewoon verbaasd, omdat de freak iets had gezegd, tekenen van bewustzijn vertoonde en een vraag stelde. Toen begreep hij dat Cleary's blik erop wees dat hij ruw van het ene gedachtespoor op het andere was gezet. Cleary was met zijn gedachten elders geweest. Niet bij een eventuele doorbraak in de oude zaak. De enige andere reden om het dossier op te vragen, was dus een nieuwe zaak. Met overeenkomsten, misschien.

Uiteindelijk nam Cleary het dossier aan en liep weg zonder een woord te zeggen.

Kleb moest de inhoud van het dossier in zijn hoofd reconstrueren.

Een fataal geweerschot, schijnbaar van zeer lange afstand. Het slachtoffer was een immigrant uit de Sovjet-Unie. Ze dachten dat hij ofwel een bekeerde communist was die door een echte communist was neergeschoten bij wijze van represaille, ofwel dat de zogenaamde bekering nep was en dat hij in werkelijkheid een op instructies wachtende geheim agent was die werd uitgeschakeld door een schimmige organisatie met een kantoor dat officieel niet bestond en nauw verbonden was met de hoogste kringen binnen het Pentagon. In 1954 waren beide theorieën volkomen plausibel.

Zoals altijd zat Kleb tijdens de lunchpauze alleen, maar die dag zat hij één tafel dichter bij de anderen om te kunnen afluisteren waar ze het over hadden. De nieuwe zaak was raadselachtig. Een Sovjet-immigrant, van grote afstand doodgeschoten met een geweer. Niemand wist waarom. Waarschijnlijk ging het om een spion. Toen zei iemand nee, want de informele kanalen van het ministerie van Buitenlandse Zaken merkten de zaak niet als gevoelig aan. Er waren dus geen spionnen bij betrokken. Gewoon normale mensen die doen wat normale mensen in het Golden Gate Park met jachtgeweren doen.

Kleb ging terug naar de kelder en dacht eens diep na.

Hij nam het eerste dossier helemaal door. Hij controleerde elk detail. Hij nam elk aspect in overweging. De datum van de misdaad was 31 januari 1953, precies 361 dagen geleden, de locatie was ook het Golden Gate Park, een rustige tijd van de dag, weinig mogelijke getuigen, nul daadwerkelijke getuigen.

De kogelresten wezen op een middel kaliber high-velocity geweerpatroon. Op basis van sporen in de aarde werd verondersteld dat de kogel vanaf een plek achter een boom op vijfhonderd meter afstand was afgevuurd.

Cleary kwam aan het begin van de middag terug naar de kelder.

'Je had me een vraag gesteld,' zei hij.

Kleb knikte, maar zei niets.

'Je wist dat het om een onopgeloste zaak ging,' zei Cleary.

Opnieuw knikte Kleb, en bleef zwijgen.

'Je hebt het dossier gelezen.'

'Ja,' zei Kleb.

'Je hebt alle dossiers gelezen.'

'Ja,' zei Kleb opnieuw.

'Zijn er vergelijkbare zaken?'

Een databasevraag.

Zijn eerste.

'Nee,' zei Kleb.

'Jammer.'

'Maar de twee zaken hebben veel overeenkomsten.'

'Daarom hoopte ik dat er een derde zou zijn.'

'Ik denk dat de afstand van vijfhonderd meter belangrijk is,' zei Kleb.

'Ben je nu rechercheur geworden?'

'Nee, maar ik herken patronen. Er zijn veel mensen doodgeschoten in het park. Bijna allemaal van dichtbij. Op die kronkelig paadjes is het gemakkelijker om van dichtbij te schieten. Een schot van grote afstand, dat is opvallend. Het wijst op een sterke voorkeur van de schutter. Of een gewenning. Mogelijk via training. Misschien is het de enige methode die hij kent.'

'Denk je aan een ex-militair?'

'Dat lijkt me waarschijnlijk.'

'Mij ook, Einstein. Na de Tweede Wereldoorlog en Korea is de halve wereldbevolking ex-militair. Van de zwerver onder de brug tot de bobo's in de achterkamertjes van het Pentagon. De president van de Verenigde Staten is een ex-militair. Aan die informatie hebben we geen fluit. Maar blijf vooral nadenken, slimmerik. Je bent er goed in.'

'Is er een verband tussen de slachtoffers?'

'Behalve dat het communisten zijn?' vroeg Cleary.

'Waren het communisten?'

'Ze beweerden van niet. Ze spraken zich er weleens over uit. Verder hadden ze niets gemeen. Ze hebben elkaar nooit ontmoet, ze wisten voor zover we weten niet van elkaars bestaan.'

'Dat zou erop kunnen wijzen dat ze spionnen waren.'

'Precies,' zei Cleary.

'En dat zou er ook op kunnen wijzen dat ze dat niet waren.'

'Daarom hebben we dus geen fluit aan deze theorie. Blijf nadenken, bolleboos.'

'Hoe zou het zijn om je als Sovjet-immigrant van het communisme te distantiëren?'

'Hoe zou dat zijn?' zei Cleary. 'Verstandig.'

'Maar niet gemakkelijk,' zei Kleb. 'Denk je niet? Je zou er hard je best voor moeten doen. Er zou vaak bevestiging van je worden verwacht. Zoals je zei spraken ze zich af en toe uit over hun politieke overtuigingen. Ze moeten een zekere mate van plaatselijke bekendheid hebben verworven.'

'Wat doet dat ertoe?'

'Ik vroeg me af hoe de schutter hen vanaf een afstand van vijfhonderd meter als Russen kon identificeren.'

'Misschien was het toeval dat de slachtoffers Russen waren. Misschien waren het gewoon wandelaars in het park. Gemakkelijke doelwitten.'

'Er zijn hier maar weinig Russen, dus die kans lijkt me klein. Maar het is mogelijk. Hoewel mijn gevoel iets anders zegt. Het is bijna een filosofisch vraagstuk.'

'Wat bedoel je?'

Kleb probeerde een zin eerst uit in zijn hoofd, en toen zachtjes op zijn lippen. Vervolgens zei hij hardop: 'Er zijn nog twee punten die al dan niet een toevalligheid zijn. Is het té toevallig dat er nog twee mogelijke toevalligheden zijn? Of versterken de drie mogelijke toevalligheden elkaar juist en maken ze de kans dat ze geen toeval zijn groter? Het is een existentiële vraag.'

'Spreek je moerstaal, mafkees.'

'De data zouden weleens belangrijk zullen zijn. Ze kunnen verklaren waarom de slachtoffers Russisch zijn. Of niet, natuurlijk, als het toch allemaal toeval blijkt te zijn. Dan stort mijn theorie als een kaartenhuis in elkaar.'

'Welke data?'

'De data van de schietpartijen. 31 januari 1953 en vandaag, dus 27 januari 1954.'

'Wat hebben die met elkaar te maken?'

Kleb probeerde opnieuw een zin uit in zijn hoofd en daarna op zijn lippen. Het was een lange zin. Het voelde goed. Hardop zei hij: 'Ik denk dat je moet zoeken naar een Duitser van in de dertig. Vrijwel zeker iemand hier uit de buurt. Vrijwel zeker een ex-krijgsgevangene die in Kansas of Iowa of iets dergelijks heeft vastgezeten. Vrijwel zeker een infanterist, waarschijnlijk een scherpschutter. Vrijwel zeker getrouwd met een meisje uit de buurt en hier gebleven. Maar hij heeft de ideologie nooit opgegeven. Hij is er altijd in blijven geloven. Sommige dingen maken hem boos. Zoals 31 januari 1953.'

'Waarom dan?'

'Dat was tien jaar na de definitieve overgave van de Duitsers bij Stalingrad. 31 januari 1943. Hun eerste nederlaag. Verwoestend. Het was het begin van het einde. Onze schutter was uit op wraak. Hij vond een Rode in de buurt. Misschien had hij hem op de veteranensociëteit horen spreken. Hij schoot hem dood in het park.'

'De datum kan puur toeval zijn.'

'Dan zou vandaag dat ook moeten zijn. Dat probeer ik uit te zoeken. Betekent het feit dat deze data allebei ergens op kúnnen wijzen ook dat ze dat daadwerkelijk doen?'

'Wat is er vandaag?'

'Het is tien jaar geleden dat er een einde kwam aan het beleg van Leningrad. Opnieuw een rampzalige nederlaag voor de Duitsers. Opnieuw een enorm symbolisch verlies. Stalin, Lenin, hun steden hebben het overleefd. Het stoorde onze schutter.'

'Hoeveel herdenkingen komen er nog aan?'

'Een hele zooi,' zei Kleb. 'Het was een armageddon vanaf dit punt. Volgend jaar op 2 mei krijgen we de val van Berlijn.'

Cleary was lange tijd stil. Toen knipoogde hij.

'Blijf nadenken, slimmerik. Je bent er goed in.'

Met die woorden liep hij weg.

Aan het einde van de volgende dag ving Kleb op dat Cleary opdracht had gegeven voor een plotselinge koerswijziging in het onderzoek, die meteen resultaat opleverde. Er werd vrijwel onmiddellijk iemand gearresteerd. Een Duitser, vierendertig jaar oud, een lokale inwoner, ex-krijgsgevangene die in Kansas had vastgezeten, een voormalig sluipschutter bij een elite-eenheid, getrouwd met een vrouw uit Kansas, woonachtig in Californië.

Cleary kreeg een onderscheiding en een eervolle vermelding en zijn naam kwam in de krant.

Nooit refereerde hij aan Klebs hulp. Zelfs niet tegenover Kleb zelf.

Het bleek typerend te zijn. Kleb werkte zesenveertig jaar in die kelder, verlegen, onhandig met zijn onbeholpen maniertjes, en werd vrijwel altijd genegeerd, vrijwel altijd gemeden, terwijl hij volgens zijn eigen objectieve telling in zevenenveertig afzonderlijke zaken nuttige informatie had gegeven. Gemiddeld net iets meer dan een keer per jaar. Hij werd er nooit voor bedankt, hij kreeg nooit erkenning. Hij ging met pensioen zonder cadeaus, toespraken of een feestje, maar desondanks was het een mooie dag voor hem, want het was de gedenkdag van de maanlanding, wat betekende dat het ook de gedenkdag was van het eerste Amerikaanse voertuig op Mars. En dat waren het soort verbanden waar hij van hield.

De oplossing met de .50

Meestal beoordeel ik eerst de cliënt, dan het doelwit, en bepaal ik daarna de prijs. Gebaseerd op gezond verstand en een paar variabelen. Als de cliënt rijk is, vraag ik meer. Als het om een lastig doelwit gaat, vraag ik meer. Als er grote uitgaven mee gemoeid zijn, vraag ik meer. Dus als ik in het buitenland werk, in opdracht van een miljardair, en het doelwit heeft zich verschanst in een afgelegen schuilplaats met een competent beveiligingsteam, dan vraag ik misschien wel honderd keer meer dan wanneer een meisje uit de buurt op zoek is naar een snelle, bloederige oplossing voor haar huwelijksproblemen. Variabelen en gezond verstand.

Maar in dit geval verliepen de onderhandelingen anders.

De man die naar me toe kwam was rijk. Dat was duidelijk. De man ademde rijkdom. Het zat 'm niet alleen in zijn kleren en zijn auto. Dit was een man die altijd al rijk was geweest. Misschien al generaties lang. Hij was groot, had zilvergrijs haar en was zelfverzekerd. Hij was een aristocraat. Je merkte het aan zijn manier van doen, zijn manier van spreken, de manier waarop hij de leiding nam.

Het eerste onderwerp waarover hij begon was de keuze van het wapen.

'Ik heb gehoord dat je weleens een Barrett M90 gebruikt,' zei hij.

'Dat klopt.'

'Vind je dat een goed wapen?'

'Het is een prima wapen.'

'Dan kun je hem in dit geval ook gebruiken.'

'Ik kies het wapen zelf,' zei ik.

'Op basis waarvan?'

'Van wat nodig is.'

'Je hebt de Barrett nodig.'

'Waarom?' vroeg ik. 'Grote afstand?'

'Zo'n honderdtachtig meter.'

'Ik heb voor een schot op honderdtachtig meter geen Barrett M90 nodig.'

'Ik sta erop.'

'Draagt het doelwit een kogelwerend vest?'

'Nee.'

'Bevindt hij zich in een voertuig?'

'Nee, in de openlucht.'

'Dan gebruik ik een .308, of een Europees wapen.'

'Ik wil dat je een .50-kogel gebruikt.'

'Een .308 of NAVO-kogel is even dodelijk op honderdtachtig meter.'

'Misschien niet.'

Als ik hem zo bekeek was ik er vrij zeker van dat deze man nog nooit van zijn leven een .50 Barrett had afgevuurd. Of een .308 Remington. Of een M16, of een FN, of een H&K. Welk wapen dan ook. Hij had waarschijnlijk überhaupt nog nooit geschoten, behalve misschien als kind met een luchtbuks.

'De Barrett is een onhandig wapen,' zei ik. 'Het is een meter tweeëntwintig lang en kan niet uit elkaar worden gehaald. Het weegt meer dan tien kilo. Het heeft zelfs een steun met twee poten, als een stuk artillerie. Het is moeilijk te verbergen en maakt ontzettend veel lawaai. Het is misschien wel het luidste wapen dat er is.'

'Ik vind die .50 kaliber-kogel mooi.'

'Ik geef je er wel een,' zei ik. 'Dan kun je die met bladgoud laten bedekken en aan een ketting om je nek dragen.'

'Ik wil gewoon dat je de Barrett gebruikt.'

Ik begon haast te denken dat deze man misschien een sadist was. Kaliber .50 is een decimale breuk, een andere manier om een halve inch aan te duiden. Een loden kogel van een halve inch doorsnee is nogal een joekel. Hij weegt zo'n 57 gram en kan afgevuurd worden met een snelheid van meer dan drieduizend kilometer per uur. Je kunt er een straaljager mee neerhalen. Een mens op een afstand van honderdtachtig meter knal je ermee aan gort. Alsof je hem een bom laat inslikken en die tot ontploffing brengt.

'Als het je om het dramatische effect gaat, kan ik het van dichtbij met een mes doen. Als je er een boodschap mee wilt overbrengen.'

'Daar gaat het niet om. Het gaat me niet om een boodschap, maar om het resultaat.'

'Dat lijkt me sterk,' zei ik. 'Op honderdtachtig meter bereik ik met elk wapen resultaat. Een klein pistool met een inklapbare kolf die ik onder mijn jas kan verbergen, bijvoorbeeld. Het kan zelfs met een steen.'

'Ik wil dat je de Barrett gebruikt.'

'Het wordt een dure grap,' zei ik. 'Ik moet de Barrett achterlaten. Dat betekent dat je je blauw betaalt om hem ontraceerbaar te maken. Dat kost je meer dan een buitenlandse auto. En dan hebben we het nog niet eens over mijn vergoeding gehad.'

'Dat is geen probleem,' zei hij zonder aarzeling.

'Het is absurd.'

Hij zei niets. Ik dacht bij mezelf: honderdtachtig meter, geen kogelwerend vest, in de openlucht. Het slaat nergens op. Dus ik besloot de vraag te stellen.

'Wie is het doelwit?'

'Een paard.'

Even was ik stil. 'Wat voor paard?'

'Een volbloed renpaard.'

'Heb je renpaarden?'

'Tientallen.'

'Zijn ze goed?'

'Sommige behoren tot de top.'

'Dus wat is het doelwit? Een rivaal?'

'Een bron van ergernis.'

Nu werd me veel duidelijk. De man ging verder: 'Ik ben niet gek. Ik heb er goed over nagedacht. Het moet een ongeluk lijken. We kunnen het paard niet zomaar door zijn hoofd schieten. Dat valt op. Het moet lijken alsof de eigenaar het doelwit was, maar dat je miste en het paard helaas werd geraakt. Dus het schot moet er niet te goed geplaatst uitzien. Het moet een misser lijken. In de hals, schouder, waar dan ook. Als hij maar doodgaat of voorgoed is uitgeschakeld.'

'Vandaar de Barrett.'

Hij knikte. Ik knikte terug. Een volbloed racepaard weegt een halve ton. Een .308 of NAVO-kogel in zijn romp is mogelijk niet voldoende. Niet om dodelijk of blijvend letsel te veroorzaken. Maar een grote .50-kogel zou vrijwel zeker dodelijk zijn. Zelfs als je een halve ton weegt, loopt het een beetje lastig met een gat ter grootte van een vuilnisbak in je lichaam.

'Wie is de eigenaar? Is dat een aannemelijk doelwit?'

De man vertelde me wie de eigenaar was, en we waren het erover eens dat hij inderdaad een aannemelijk doelwit was. Er gingen geruchten over hem, hij had schimmige connecties.

'En hoe zit het met jullie? Zijn jullie persoonlijke vijanden?'

'Je bedoelt of ik verdacht zal worden van het opdracht geven tot die mislukte aanslag?'

'Precies.'

'Zeker niet,' zei de man. 'We kennen elkaar niet.'

'Behalve als rivaliserende renpaardenbezitters.'

'Daar zijn er honderden van.'

'Wint een van jouw paarden als dit paard wordt uitgeschakeld?'

'Dat hoop ik wel, ja.'

'Dan zullen ze naar jou kijken.'

'Niet als het lijkt alsof de eigenaar het doelwit was in plaats van het paard.'

'Wanneer moet het gebeuren?' vroeg ik.

'Ergens in de komende vier dagen,'

'Waar?' vroeg ik.

Hij vertelde dat het paard in een complex een eindje zuidwaarts gestald stond. Het was echt een paardenregio, uiteraard: uitgestrekte weilanden, weelderig gras, witte hekken en glooiende heuvels. Hij vertelde over de lange routes door de natuur die galoppeerbanen werden genoemd, waar de paarden vlak na zonsopgang werden getraind. Hij vertelde over de stilte en de ochtendmist. Hij vertelde dat de eigenaar er in de week voor een grote race elke ochtend aanwezig zou zijn om de conditie van zijn paard te beoordelen en om zijn kracht, snelheid, gratie en vuur te bewonderen. Hij vertelde over de vele bomenrijen die uitstekende dekking zouden bieden. Toen stopte hij met praten. Ik voelde me een beetje dwaas, maar ik vroeg het toch: 'Heb je een foto van het doelwit?'

Hij haalde een envelop uit de binnenzak van zijn jas en gaf die aan me. Er zat een glanzende kleurenfoto van een paard in. De foto leek geposeerd, als een promotiefoto. Als een portret dat een acteur laat maken voor publiciteitsdoeleinden. Het paard was een majestueus dier: groot, glanzend, gespierd, bijna gitzwart met een witte bles.

Een prachtexemplaar.

'Oké,' zei ik.

Toen stelde de man mij een vraag.

'Hoeveel?' vroeg hij.

Het was een interessante kwestie. We waren het doodschieten van een paard aan het bekonkelen. In de meeste staten geldt dat als een eigendomsdelict. Wat iets heel anders is dan moord. En ik bezat al een ontraceerbare Barrett 90. Sterker nog, ik had er drie. De serienummers stopten bij het Israëlische leger. Een van de Barretts was flink gebruikt. Hij was toch al bijna toe aan een nieuwe loop. Het was een prima wapen om na gebruik achter te laten. Koud schieten met een versleten loop zou ik bij een mens niet riskeren, maar bij iets ter grootte van een paard – op een afstand van honderdtachtig meter – moest het geen probleem zijn. Als ik op het dikste deel van het dier mikte, kon ik me een afwijking van dertig centimeter permitteren. Dat vertelde ik de man natuurlijk niet. In plaats daarvan hield ik een betoog over de prijs van een wapen en de extra kosten die ik zou moeten ophoesten voor ontraceerbare papieren. Vervolgens begon ik over de risico's, wachtend tot hij me zou onderbreken. Maar dat deed hij niet. Ik zag dat hij geobsedeerd was. Hij had een doel. Hij wilde per se dat zijn paard zou winnen, en dat maakte hem blind voor de werkelijkheid, net zoals sommige mensen zich heel erg kunnen opwinden over verraad, overspel en zakelijke partnerschappen.

Ik keek nog eens naar de foto.

'Honderdduizend dollar,' zei ik.

Hij zei niets.

'Cash,' zei ik.

Hij zei niets.

'Vooraf,' zei ik.

Hij knikte. 'Op één voorwaarde,' zei hij. 'Ik wil erbij zijn. Ik wil het zien gebeuren.'

Ik keek naar hem en ik keek naar de foto, en ik dacht aan de honderdduizend dollar cash.

'Oké,' zei ik. 'Je mag erbij zijn.'

Hij opende het koffertje dat naast hem op de grond stond en pakte er een stapel geld uit. Het zag er goed uit, rook goed en voelde goed aan. Er zat waarschijnlijk meer in de koffer, maar dat kon me niet schelen. Honderdduizend dollar was genoeg, gezien de omstandigheden.

'Overmorgen,' zei ik.

We spraken af waar we elkaar zouden ontmoeten, een eindje zuidwaarts, in de paardenregio, en hij vertrok.

Ik verstopte het geld waar ik het altijd verstop, namelijk in een metalen kist in mijn opslagruimte. Als je de kist opendoet, is het eerste wat je ziet een menselijke schedel in een ziplockzak. In het witte vakje waarop je kunt schrijven wat je invriest, staat: deze man probeerde me op te lichten. Dat is natuurlijk niet waar. De schedel komt uit een antiekwinkel. Waarschijnlijk is het een afgedankt exemplaar van een medische faculteit op het Indisch subcontinent. Naast de geldkist lag de wapenkist. Ik pakte de versleten Barrett eruit en controleerde hem. Ik haalde hem met latex handschoenen aan uit elkaar, maakte hem schoon, smeerde hem in met olie, veegde hem weer af en zette hem weer in elkaar. Ik vulde een nieuw magazijn, bracht het op zijn plaats en schoof het geheel met de loop eerst in een oude golftas met schouderhengsel. Vervolgens legde ik de golftas in de kofferbak van mijn auto en liet hem daar liggen.

Thuis zette ik de foto van het renpaard op mijn schoorsteenmantel.

Ik heb er lang naar zitten kijken.

Ik ontmoette de man op de afgesproken tijd en plaats. Het was een verlaten kruispunt vlak bij een crosscountryparcours dat naar een afgelegen groepje bomen leidde, een uur voor zonsopgang. Het was koud. De man had een jas en handschoenen aan, en hij droeg een verrekijker om zijn nek. Ik had ook handschoenen aan. Latex. Maar geen verrekijker. Wat ik wel had, was een Leupold & Stevens-richtkijker op de Barrett in de golftas.

Ik was ontspannen en voelde wat ik altijd voel als ik op het punt sta te doden, namelijk niets. Maar mijn cliënt was niet ontspannen. Hij huiverde van opwinding, zo intens dat het haast pornografisch was. Als een pedofiel in het vliegtuig naar Thailand. Ik vond het niet prettig.

We liepen zij aan zij door de dauw. De grond was hard, bezaaid met voetafdrukken. Heel veel, beide kanten op.

'Wie zijn hier geweest?' vroeg ik.

'Tipgevers voor de race,' zei de man. 'Sportjournalisten, gokkers op zoek naar inside informatie.'

'Het lijkt Times Square wel,' zei ik. 'Het bevalt me niet.'

'Het zal vandaag wel meevallen. Niemand scout hier meer. Iedereen kent dit paard. Iedereen weet dat hij slapend kan winnen.'

We liepen in stilte verder en bereikten de groep bomen. Die was ovaalvormig, met wat minder bomen aan de noordkant. We liepen heen en weer tot we een goede zichtlijn tussen de stammen hadden. Het eerste licht van de dageraad verscheen aan de hemel. Honderdtachtig meter verderop, iets heuvelafwaarts, bevond zich een brede strook gras vol bandensporen. Erboven hing een dunne grijze nevel.

'Daar?' vroeg ik.

De man knikte. 'De paarden komen vanuit het zuiden. De auto's komen vanuit het westen. Ze ontmoeten elkaar precies daar.'

'Waarom?'

'Gewoon. Het is een gewoonte. Elkaar op de rug slaan, beetje ouwehoeren. De trots van paardenbezitters.'

Ik pakte de Barrett uit de golftas. Ik had al besloten hoe ik het schot zou voorbereiden. Ik zou geen tweepoot gebruiken. Het wapen moest zich laag bij de grond bevinden en nergens door belemmerd worden. Ik ging op één knie zitten en liet de loop in de kromming van een tak rusten. Ik keek door de richtkijker. Ik haalde de grendel over en voelde hoe de eerste krachtige .50-kogel in de kamer schoof.

'Nu is het afwachten,' zei de man. Hij stond bij mijn schouder, zo'n meter rechts van me en een meter achter me.

De auto's kwamen als eerste. Het waren SUV's. Werkauto's, oud, modderig en gedeukt. Een Jeep en twee Land Rovers. Er stapten vijf mannen uit. Vier zagen er arm uit en één rijk.

'De trainer, de staljongens en de eigenaar,' zei de man. 'De eigenaar is die man in de lange jas.'

De vijf mannen stampten en schuifelden met hun voeten, hun adem vormde wolken rond hun hoofd.

'Luister,' zei mijn man.

Ik hoorde iets in de verte, links van me. In het zuiden. Een laag geroffel en het geluid van reusachtige hoestende en pompende blaasblagen. Hoefgetrappel en enorme paardenlongen die liters zoete, frisse ochtendlucht in- en uitademden.

Ik bewoog me naar achteren totdat ik op de grond zat.

'Ze komen eraan,' zei de man achter me.

Er waren in totaal tien paarden. Ze reden in een slordige pijlformatie, sommige bleven wat achter, dreven van de lijn af en zwaaiden met hun hoofden, hun zware adem vormde lange trompetvormige stoompluimen in de lucht.

'Wat is dit?' vroeg ik. 'De hele selectie?'

'De hele stal,' zei de man. 'Zo noemen we dat. Dit is zijn hele eerste stal.'

In het grijze ochtendlicht en achter de ademwolken zagen alle paarden er voor mij precies hetzelfde uit.

Maar dat maakte niet uit.

'Klaar?' vroeg de man. 'Ze blijven hier niet lang.'

'Doe je mond open,' zei ik.

'Wat?'

'Doe je mond open, wijd open. Alsof je gaapt.'

'Waarom?'

'Om de druk gelijk te maken. Net als in een vliegtuig. Zoals ik al zei, is dit een luid wapen. Als je je mond niet opendoet, worden je trommelvliezen kapot geblazen. Dan ben je een maand doof.' Ik keek over mijn schouder. De man had zijn mond open, een beetje half, zoals een patiënt die op de tandarts wacht terwijl die nog even in de computer kijkt.

'Nee, zo,' zei ik. Ik deed het voor. Ik sperde mijn mond zo ver mogelijk open en trok mijn kin in totdat de pezen in mijn kaakgewricht pijn deden.

Hij deed me na.

Ik zwaaide de loop van de Barrett snel en soepel omhoog en naar achteren, als een jager die een opvliegende eend volgt. Toen haalde ik de trekker over en schoot de man recht door zijn gehemelte. Het gigantische geweer dreunde en schokte en de bovenkant van het hoofd van de man vloog eraf als een hardgekookt ei. Zijn lichaam zakte op een hoopje in elkaar. Ik liet het geweer boven op hem vallen en trok zijn rechterschoen uit, gooide die op de grond en begon te rennen. Twee minuten later zat ik weer in mijn auto. Vier minuten later was ik al een paar kilometer uit de buurt.

Ik was honderd mille rijker, maar de wereld was een industrieel, een filantroop en een renpaardeigenaar armer. Dat zeiden de zondagskranten. Hij had zichzelf van kant gemaakt. De politie had de theorie dat hij eronder gebukt ging dat zijn beste paard altijd tweede werd.

Hij had zijn rivaal bespioneerd tijdens de training, misschien in de hoop een zwakke plek te ontdekken. Die had hij niet gevonden. Dus had hij een sluipschuttersgeweer bemachtigd dat voor het laatst legaal in het bezit van het Israëlische leger was geweest. Misschien was hij van plan geweest het rivaliserende paard neer te schieten, maar was hij er op het moment suprême niet toe in staat geweest. Dus had hij, depressief en radeloos als hij was, het geweer omgekeerd, de loop in zijn mond gestoken, zijn schoen uitgetrapt en met zijn teen de trekker overgehaald. Een politieagent van ongeveer zijn lengte had meegedaan aan een reconstructie om te bewijzen dat zoiets fysiek mogelijk was, zelfs met zo'n lang geweer als een Barrett.

Achter in de krant stonden de uitslagen van de paardenraces. Het grote zwarte paard had met zeven lengtes gewonnen. Het paard van mijn man was uit de wedstrijd teruggetrokken.

De foto heeft nog lang op mijn schoorsteenmantel gestaan.

Een vrouw die ik veel later ontmoette, merkte op dat het de enige foto in mijn huis was. Ze vroeg me of ik meer van dieren hield dan van mensen. Ik antwoordde dat dat inderdaad meestal zo was. Dat vond ze leuk aan me. Maar niet leuk genoeg om bij me te blijven.

Openbaar vervoer

Hij zei dat hij niet met me wilde praten. Ik vroeg waarom niet. Omdat hij politieagent was en ik journalist, zei hij. Je zou haast denken dat je iets te verbergen hebt, zei ik. Nee, dat was niet zo, zei hij.

'Praat dan met me,' zei ik, en ik wist dat hij het zou doen.

Hij sputterde nog even tegen, trommelde met zijn vingers op de bar en verschoof op zijn kruk. Ik kende hem redelijk goed. De zomer van zijn carrière was voorbij en hij ging langzaamaan de herfst in. Zijn beste jaren lagen achter hem. Hij was over zijn hoogtepunt heen, tien lange jaren voor zijn pensioen strekten zich voor hem uit. Hij hield ervan om te winnen, maar zat er niet mee als hij verloor. Hij was een realist. Maar hij wilde wel weten waar hij aan toe was. Hij had er een hekel aan als niet duidelijk was of hij had gewonnen of verloren.

'Begin bij het begin,' zei ik.

Hij haalde zijn schouders op, nam een slok bier, zuchtte en blies de rook van zijn sigaret in de richting van de spiegel tegenover ons. Hij begon zijn verhaal bij het alarmtelefoontje. Het huis stond even buiten Chandler, iets ten zuidoosten van de stad. Een grote, lage ranch, luxueus en ommuurd, een onverlicht zwembad, duisternis. De ouders die thuiskwamen van een feestje. De stilte. Het ingeslagen raam, het lege bed. Het bloedspoor in de gang. Het lichaam van de dochter, overhoop gestoken. Ze was veertien jaar oud geweest en verminkt op een manier die hij nog altijd niet kon beschrijven.

'Je hield informatie achter,' zei ik.

'Hoe weet je dat?' vroeg hij.

'Dat doen jullie altijd. Om bekentenissen te checken.'

Hij knikte.

'Hoeveel bekentenissen zijn er geweest?'

'Honderdacht.'

'Allemaal fake?'

'Natuurlijk.'

'Welke informatie hield je achter?'

'Dat zeg ik niet.'

'Waarom niet? Twijfel je of jullie de juiste man hebben opgepakt?'

Hij gaf geen antwoord.

'Vertel verder,' zei ik.

Dat deed hij. De plaats delict was duidelijk nog vers. De ouders waren waarschijnlijk kort nadat de dader was verdwenen thuisgekomen. De politie was snel ter plaatse geweest. Het bloed op het tapijt in de gang was nog nat. Donkerrood, niet zwart, op de bleke huid van het meisje. De bleke huid van het meisje was vanaf het begin een probleem. Dat wisten ze allemaal. Ze waren in staat om snel en effectief te handelen, dus dat deden ze, en ze wisten dat later beweerd zou worden dat hun snelle reactie te maken had met het feit dat het meisje wit was, en niet zwart of bruin. Dat was niet zo. Het was een kwestie van geluk en timing. De plaats delict was vers en ze hadden een paar aanwijzingen. Ik knikte, alsof ik het begreep. En dat was ook zo. Ik was journalist en ik hield wel van een goed schandaal, maar soms zijn dingen gewoon zoals ze zijn.

'Ga verder,' zei ik.

Het huis hing vol met foto's van het meisje. Ze was enig kind. Ze was verblindend mooi. Ze was een schoonheid, zoals veertienjarige witte meisjes uit Arizona dat kunnen zijn.

'Ga door,' zei ik.

De eerste meevaller was het weer geweest. Twee dagen eerder had het gestortregend en daarna was de hitte op volle kracht teruggekeerd. Door de regen was de straat bedekt met een laag zand en modder, die in de hitte was opgedroogd tot een laagje stof. Het stof toonde geen bandensporen, behalve die van de auto's van de ouders, de politie en de ambulance. De dader was dus te voet gekomen en vertrokken. Er stonden duidelijke voetafdrukken in het stof. Sneakers, ongeveer maat 43, met redelijk generieke zolen. De sporen werden gefotografeerd en rondgemaild en iedereen was ervan overtuigd dat er uiteindelijk in een database een match met een merk en een model zou worden gevonden. Maar belangrijker was dat de verdachte kort daarvoor te voet van de plaats delict was vertrokken, in een omgeving waar niemand zich te voet verplaatste.

Er werden binnen een straal van drie kilometer opsporingsberichten en waarschuwingen verspreid. Het was twaalf uur 's nachts en ruim zevenendertig graden; er zouden niet veel mensen buiten zijn. Het was simpelweg te heet om te wandelen, laat staan om te rennen. Elke vorm van langdurige fysieke inspanning zou gelijkstaan aan zelfmoord. Zo'n soort plek was Greater Phoenix, vooral in de zomer.

Er verstreken tien minuten, maar er werden geen voortvluchtigen gevonden.

Toen kwam de tweede aanwijzing. De ouders waren nog redelijk helder. Tussen hun gehuil en gejammer door, merkten ze op dat de mobiele telefoon van hun dochter was verdwenen. Dat ding was haar alles.

Een Apple iPhone, met een AT&T-contract met onbeperkte belminuten, waar ze uitbundig gebruik van maakte. Destijds waren iPhones nieuw en cool. De politie vermoedde dat de dader hem had gestolen. Ze dachten dat een type dat geen auto bezat vast in de ban zou zijn van een kleine glimmende gadget als een iPhone. En in het geval dat hij een psychopaat zou zijn, verzamelde hij misschien trofeeën.

Misschien bevatten de foto's op de telefoon, waar de vrienden van het meisje op stonden, wel interessante informatie. Of de sms'jes.

'Ga door,' zei ik.

De derde aanwijzing had te maken met iets wat typerend was voor welgestelde ouders met veertienjarige dochters. De ouders maakten gebruik van een service waarmee ze de GPS-chip in de iPhone vanaf hun thuiscomputer konden volgen. Het was niet goedkoop, maar ze waren het soort mensen dat wilde weten of hun dochter de waarheid sprak als ze zei dat ze bij een vriendinnetje bleef logeren of met een vriendje naar de bibliotheek ging. De agenten kregen het wachtwoord, logden ter plekke in en zagen dat de telefoon langzaam naar het noorden bewoog, richting Tempe. Te snel voor wandelen, te snel voor rennen, maar te langzaam voor een auto.

'Een fiets?' suggereerde een van hen.

'Te heet,' zei een ander. 'En er zijn geen bandensporen gevonden op de oprit.'

De man die het verhaal vertelde op de kruk naast me, was degene geweest die als eerste begreep wat er aan de hand was.

'De bus,' zei hij. 'De dader zit in de bus.'

Er reden veel bussen in Greater Phoenix. Er werd gebruik van gemaakt door arbeiders die te weinig verdienden om een eigen auto te kunnen betalen. Vooral 's ochtends vroeg en 's avonds laat gingen veel mensen met de bus. De hele stad zou tot stilstand komen zonder bussen. Gerechten zouden niet geserveerd worden, zwembaden niet schoongemaakt, bedden niet opgemaakt, afval niet opgehaald. Alle agenten stelden zich onmiddellijk een globaal profiel van de dader voor: een getinte man, waarschijnlijk klein van stuk, waarschijnlijk gestoord, die nu op een stoel in de wiegende bus naar het noorden zat. Scrollend door de iPhone, door de muziekbibliotheek, de foto's. Misschien zat het mes nog in zijn zak, hoewel dat al te mooi zou zijn.

Een agent bleef bij het huis om het scherm in de gaten te houden en bracht als een sportcommentator verslag uit van wat hij zag. De opsporingsberichten en waarschuwingen werden ingetrokken en elke politieauto ging achter de bus aan. Het duurde tien minuten om de bus te vinden. Tien seconden om hem te stoppen. De bus werd omsingeld door politieauto's. Lichten flitsten en knipperden, agenten hurkten achter motorkappen, portieren en kofferbakken, wapens werden gericht, tientallen Glocks en geweren.

In de bus zat de chauffeur met drie passagiers.

De chauffeur was een vrouw. De drie passagiers waren ook vrouwen. Alle drie bejaard. Een van hen was wit. De chauffeur was een magere latina van dertig.

'Ga door,' zei ik.

De man naast me nam nog een slok bier en zuchtte. Hij was aangekomen bij het punt waarop het onderzoek in het honderd liep. Ze waren bijna twintig minuten bezig geweest de vier vrouwen te ondervragen, te fouilleren en over straat heen en weer te laten lopen, terwijl de agent in het huis op het scherm de GPS-bewegingen volgde.

Maar het locatiebolletje bewoog niet. De telefoon bevond zich nog in de bus. Maar de bus was leeg. Ze zochten onder de stoelen. Niets. Ze zochten ín de stoelen, en daar vonden ze de telefoon. In de voorlaatste stoel rechts achterin was een gat gesneden. De telefoon was zijwaarts in de schuimrubberen vulling gedrukt. Hij zat daar verstopt en zond stilletjes signalen uit. Een dwaalspoor. Een afleidingsmanoeuvre. Langs de snee in de zitting zaten vage bloedsporen. Hetzelfde mes was gebruikt.

De chauffeur en de drie passagiers vertelden dat er ten zuiden van Chandler een witte man was ingestapt. Hij was achter in de bus gaan zitten en bij de volgende halte weer uitgestapt. Ze omschreven hem als netjes gekleed en van middelbare leeftijd. Ze herinnerden zich hem omdat hij uit de toon viel. Geen typische buspassagier.

'Droeg hij sneakers?' vroegen de agenten.

Ze wisten het niet meer.

'Zaten er bloedvlekken op zijn kleding?'

Niemand kon het zich herinneren.

De zoektocht werd ten zuiden van Chandler hervat. De politie nam aan dat de dader naar het zuiden ging, omdat het dwaalspoor naar het noorden had geleid. Een prima theorie, maar het leidde tot niets. Er werd niemand gevonden. Er werd een helikopter ingezet. Het was nog donker, maar de helikopter was uitgerust met een thermische camera. Alleen die bleek onbruikbaar; alles wat de camera zag, was heet.

Na zonsopkomst werd de helikopter bijgetankt en keerde hij terug voor een visuele zoekactie. Opnieuw, steeds opnieuw, dagenlang. Na een eindeloos weekend zoeken, vond de helikopter iets.

'Ga door,' zei ik.

Wat de helikopter vond, was een lijk. Een witte man, met sneakers. Begin twintig. Hij werd geïdentificeerd als een student die de dag ervoor voor het laatst was gezien. Een dag later bracht de lijkschouwer zijn rapport uit. De man was bezweken aan oververhitting en uitdroging.

'Past dat bij het vluchten van een plaats delict?' vroegen de agenten.

'Onder andere,' antwoordde de lijkschouwer.

De resultaten van het toxicologisch onderzoek waren op z'n minst interessant. Ecstasy, wiet, alcohol.

'Genoeg om hem instabiel te maken?' vroegen de agenten.

'Genoeg om een olifant instabiel te maken,' antwoordde de lijkschouwer.

De man naast me nam de laatste slok bier. Ik gebaarde naar de barkeeper om nog twee biertjes.

'Zaak afgesloten?' vroeg ik.

De man naast me knikte. 'Omdat het meisje wit was. De zaak moest opgelost worden.'

'Ben je niet overtuigd?'

'Hij was niet van middelbare leeftijd. Hij was niet netjes gekleed. Zijn sneakers matchten niet met de sporen. Het mes is nooit gevonden. En daarbij komt nog dat iemand die zo van het padje af is dat hij zichzelf dood rent in de hitte, nooit op het idee zou komen van die afleidingsmanoeuvre met de telefoon.'

'Wie was hij dan?'

'Gewoon een student die te veel van feestjes hield.'

'Delen collega's jouw twijfels?'

'Allemaal.'

'Maakt iemand er nog werk van?'

'De zaak is afgesloten.'

'Wat is er dan echt gebeurd?'

'Het dwaalspoor wijst op voorbedachten rade. Volgens mij was het een dubbele misleiding. Ik denk dat de dader uit de bus is gestapt en verder noordwaarts is gevlucht, misschien in een gereedstaande auto.'

Ik knikte. Hij had gelijk. De vluchtauto van de dader stond nu op de parkeerplaats achter het café. De sleutels zaten in mijn zak.

'Soms win je, soms verlies je,' zei ik.

Meneer Rafferty & ik

Uit de plek waar ik wakker word, kan ik afleiden wat voor nacht het is geweest. Als ik me goed heb gedragen, lig ik in bed. Als ik me slecht heb gedragen, lig ik op de bank. Ik bedoel goed of slecht in de conventionele zin van het woord. In de morele zin. De juridische zin. Wat prestaties betreft doe ik het altijd goed. Ik ben altijd voorzichtig, nauwkeurig en onverslaanbaar. Laat dat duidelijk zijn. Maar sommige nachtelijke activiteiten bezorgen me meer stress dan andere, ze putten me uit, matten me af en maken me vatbaar voor een plotselinge inzinking zodra ik weer in het heiligdom achter mijn voordeur stap.

Vandaag word ik wakker op de vloer in de gang.

Ik lig met mijn gezicht tegen het tapijt gedrukt. Ik proef de vezels op mijn lippen. Ik snak naar een sigaret. Ik doe één oog open, langzaam, en kijk speurend naar links en rechts, omhoog en omlaag. Maar voordat we verdergaan, wil ik duidelijk maken: hoe langzaam je deze woorden ook leest, hoe ruim je de betekenis van 'langzaam' ook interpreteert, hoe laag en sloom en t-r-a-a-g je stem ook is, hoe je je ook probeert in te leven, je gaat nog altijd als een raket vergeleken bij de daadwerkelijke snelheid van mijn oogbewegingen. Alleen al het optillen van mijn ooglid moet bijna vijf minuten hebben geduurd. Het bewegen van mijn oogbal, in elke windrichting, minstens vijf minuten per kant.

Een slechte nacht.

Ik weet zeker dat er een vol pakje sigaretten op het lage tafeltje in de woonkamer lag. Ik tuur in die richting. Ik zie het liggen. Teleurstelling maakt zich van me meester; het is geen vol pakje. Het is een bijna vol pakje. Een pakje in de meest irritante staat: uit het folie, het kartonnen klepje omhoog en in de voorste rij één ontbrekende sigaret. Ik heb daar om twee redenen een hekel aan: ten eerste ziet het pakje er verminkt uit. Als een heel dierbare vriend met een uitgeslagen voortand. Lelijk. En ten tweede: het beeld herinnert me tegen mijn wil aan rekensommen op de basisschool: er zitten twintig sigaretten in een nieuw pakje, verdeeld over drie rijen, en twintig is verdomme niet deelbaar door drie. Als ik zo'n pakje zie, word ik meteen woedend: tabaksfabrikanten zijn bedriegers. Wat natuurlijk te verwachten is. Ze hebben zich allang bewezen op dat gebied. Ik betaal al veertig jaar voor twintig sigaretten, en al die tijd hebben ze me er maar achttien gegeven. Achttien is deelbaar door drie. Net als eenentwintig, maar je denkt toch niet dat tabaksfabrikanten meer leveren dan waar je voor betaalt?

Dus ik blijf liggen, hijgend, maar begrijp me goed: de oudste vermoeidste hond die je ooit gezien hebt, hijgt honderd miljoen keer sneller dan dat ik op dit moment hijg. Er verstrijken ijstijden tijdens mijn in- en uitademingen. Hele diersoorten kunnen ontstaan, evolueren en uitsterven tussen twee van mijn ademteugen in de ochtend.

Ik heb sigarettenpeuken achtergelaten op de plaats van het misdrijf. Twee Camels, vlak naast de zich verspreidende plas bloed, niet erin. Met opzet, uiteraard. Ik weet hoe het spel gespeeld wordt. Dit is niet nieuw voor me. De politie moet de illusie hoog kunnen houden dat er vorderingen worden gemaakt. Niet per se echte vorderingen, maar ze willen de verslaggevers iets kunnen vertellen, ze willen zelfgenoegzaam kunnen glimlachen, ze willen video's kunnen tonen van belangrijk bewijs in kleine, ondoorzichtige zakjes. Dus ik speel het spel mee. Het is in mijn eigen belang om ze te geven wat ze willen. Ik geef meneer Rafferty redenen om te glimlachen, en ik weet zeker dat hij beseft dat het cadeautjes van mij aan hem zijn.

Maar ze zijn nutteloos. Op een sigaret die voorzichtig gerookt wordt in droge lucht, blijft bijna geen speeksel achter. Geen DNA. En geen vingerafdrukken. Die blijven niet goed zitten op het papier en zouden sowieso verbranden bij een temperatuur van bijna duizend graden. Dus de cadeautjes kosten me niets, maar helpen me bij het hooghouden van de illusie van vooruitgang.

Ik beweeg de vingers van mijn rechterhand, krom ze en krabbel met microscopische bewegingen in het tapijt. Ik bereid me voor op wat komen gaat: op mijn knieën gaan zitten, rechtop staan, me uitkleden, douchen, me weer aankleden. Een drukke agenda, vele uren werk. Geen ontbijt, natuurlijk. Ik heb al lang geleden besloten dat het tegen alle fatsoensnormen indruist om te eten na het doden.

Natuurlijk heb ik honger, vergis je niet, maar daar helpt de sigaret straks tegen. En koffie. Ik ga een pot koffie zetten, helemaal opdrinken en kijken hoe dun de vloeistof is in vergelijking met bloed. Bloed is minder stroperig dan mensen vaak denken, vooral als het zo rijkelijk vloeit als tijdens mijn werk. Het spettert, spat, druipt en gutst. Het is spectaculair, en dat is het punt: meneer Rafferty wil geen zaken behandelen die alledaags, triviaal of ronduit smerig zijn. Meneer Rafferty wil iets groots en meeslepends, en dat krijgt hij van mij.

Ik duw mijn linkerhand in het tapijt en til mijn schouders een paar centimeter van de vloer. De druk op mijn wang wordt verlicht; mijn huid zal daar rood en gevlekt zijn. Ik ben niet de jongste meer. Mijn gezicht is pafferig en bleek. Niet strak meer. Maar het kan doorgaan voor scheerirritatie, of het effect van een glaasje bourbon teveel. Ik concentreer me weer op het bijna volle pakje sigaretten drie meter verderop.

Dichtbij en toch zo ver weg.

Maar ik kom er wel. Geloof me.

Ik herinner me niet precies wat er gisteravond is gebeurd. De details mag meneer Rafferty uitdokteren. Ik zaai, hij oogst. Het is een samenwerking. Maar begrijp me goed: mijn slachtoffers verdienen het te sterven. Ik ben geen monster. Ik houd er harde principes op na. Ik kies alleen bepaalde soorten weerzinwekkende misdadigers als doelwit; van vrouwen en kinderen blijf ik af. Ik kies de mannen die meneer Rafferty niet kan pakken. Dus ook geen kansloze ordinaire straatpooiers of escortbemiddelaars, ik leg de lat iets hoger.

Maar niet té hoog, want dat levert enkel frustratie op. Net als ik komt meneer Rafferty niet bij de mensen die aan de touwtjes trekken, maar tussen die twee uitersten bevindt zich een grote groep zelfingenomen, verwerpelijke figuren. Op hen jaag ik. Om twee redenen: het voelt goed om de samenleving een dienst te bewijzen, en belangrijker, ik maak het er meneer Rafferty nog moeilijker mee. Hij wint in zekere zin door te verliezen, en hij verliest door te winnen. Hoe langer het duurt voor hij me pakt, hoe meer tuig er uit de stad verdwijnt.

De verslaggevers begrijpen dat, hoewel ze het niet hardop zeggen. Iedereen – ik, meneer Rafferty, de burgers, de inwoners van de stad – profiteert van dit perfecte evenwicht.

Dat het maar lang moge voortduren.

Nu moet ik beslissen of ik me op mijn rechter- of linkerzij zal draaien. Ik moet kiezen. Het is de enige manier om op te staan. Ik ben niet de jongste meer. Ik ben niet meer zo lenig. Ik besluit naar links te rollen. Ik strek mijn linkerarm boven mijn hoofd en zet me af met mijn rechterarm. Ik rol op mijn rug. Een hele prestatie. Ik ben goed op weg om op te kunnen staan. Ik weet dat meneer Rafferty nu ook opstaat en zich klaarmaakt voor de dag. Straks krijgt hij een telefoontje: hier is er weer een! Ondersteboven opgehangen, als ik me goed herinner, met kabelbinders aan een hek rond een verlaten bouwterrein, gekneveld, toegetakeld, met honderden steekwonden in zijn aderen, slagaderen en keel. Ik herinner me het niet precies, maar ik vermoed dat ik als laatste de dijslagader doorsneed, in de lies, waar die dicht onder de huid loopt. Het is een grote ader, en als er voldoende druk op staat door een bonzend hart, spuit het bloed in een prachtige robijnrode boog omhoog. Ik stel me voor dat de man zijn kin naar zijn borst trok en vol afschuw omhoog keek, ik stel me voor dat ik hem vroeg of hij nu nog steeds zo genoot van zijn BMW, die klootzak, en van zijn grote huis, zijn Caribische vakanties en zijn streken met die arme meisjes die hij uit Roemenië lokte met valse beloften over baantjes bij Saks Fifth Avenue, waarna hij ze walgelijke dingen liet doen voor zeshonderd dollar per uur, waarvan hij het grootste gedeelte zelf inpikte, totdat de meisjes te verslaafd en te afgetakeld waren om nog geld op te leveren. Niet dat ik iets geef om Roemenië, of om die meisjes. Ik kan geen enkel enthousiasme opbrengen voor welk deel van Oost-Europa dan ook, en prostitutie is zo oud als de mensheid. Hoewel ik weet dat de man die ik aan het hek heb vastgebonden ook Braziliaanse meisjes uitbuitte, en om hen geef ik nog wel iets.

Het zijn lieve, donkere, verlegen wezens. Ik begeef me zelf ook regelmatig in die arena, op die manier kwam ik de man ook op het spoor. Een meisje dat ik boekte, half zou oud als ik, somde op mijn verzoek het menu van diensten die ze aanbood op, waarvan sommige behoorlijk exotisch waren. Ik vroeg haar of ze die dingen oprecht leuk vond om te doen. Zoals het een goede hoer betaamt veinsde ze eerst enthousiasme, maar ik bleef doorvragen: vind je het echt leuk om je tong in de anus van een vreemde te steken? Uiteindelijk gaf ze toe dat ze geen keuze had, omdat ze anders geslagen werd. Op dat moment was het lot van de man bezegeld, en ik stel me zo voor dat ik eerst een stok gebruikte voordat ik het mes ter hand nam. Ik geloof in gerechtigheid, begrijp je, in het principe van karma.

Maar wat ik vooral belangrijk vind, is het evenwicht, de samenwerking, en dat meneer Rafferty aan het werk blijft. Hij is een ervaren rechercheur op de afdeling Moordzaken, precies even oud als ik, en ik wil graag geloven dat we elkaar begrijpen, en dat hij me nodig heeft.

Tijd om rechtop te gaan zitten. En omdat geschreven verhalen nu eenmaal hun conventies hebben, zal ik opnieuw duidelijk zijn: er is inmiddels flink wat tijd verstreken. Misschien komt het op deze bladzijden anders over, maar mijn gedachten zijn traag, fragmentarisch en hebben veel tijd nodig om zich te vormen. We hebben het hier niet over een vlaag van daadkrachtige energie. Het is een langzaam proces.

Ik breng mijn handen naar mijn middel, til mijn hoofd op en draai en duw mezelf overeind totdat ik rechtop zit.

Dan rust ik even uit.

En ik moet bekennen: het gaat me niet alleen om het evenwicht en de samenwerking. Het is een wedstrijd. Tussen mij en meneer Rafferty. Hij en ik. Wie zal er winnen? Misschien geen van ons beiden, nooit. We lijken perfect aan elkaar gewaagd te zijn. Misschien is evenwicht een resultaat, geen doel. Misschien genieten we allebei van de reis, en misschien vrezen we allebei de bestemming.

Misschien kunnen we dit voor altijd laten voortduren.

Ik denk aan wat me vanochtend te doen staat. Het doel is, net als voor zoveel mensen, om op tijd op mijn werk te komen. Mijn dagelijkse werk, moet ik misschien zeggen. Er wordt stiptheid verwacht. Dus nog geen uur nadat ik ben gaan zitten, trek ik mijn voeten onder mijn lichaam en ga ik staan, met mijn handen naar voren om mezelf tegen de muren in balans te houden. Ik zet twee onvaste passen om mijn evenwicht te vinden, een stap in de richting van de woonkamer en ik heb de beloning te pakken: mijn ochtendsigaret. Ik haal een tweede sigaret uit het pakje en doe het klepje dicht zodat ik de twee uitgeslagen tanden niet hoef te zien. Ik kijk zoekend om me heen, vertrouwend op de eeuwige waarheid dat waar sigaretten zijn, ook een aansteker is. Ik vind op een meter afstand een gele Bic en draai met mijn duim aan het wieltje, ik steek de sigaret aan en inhaleer diep, dankbaar. Ik hoest en knipper met mijn ogen en dan kan de dag eindelijk beginnen.

De douche is kalmerend, ik gebruik desinfecterende zeep, een soort carbolzuurhoudend medisch product. Niet dat ik sporen bij me draag; dit spel is niet nieuw voor me. Maar ik hou van reinheid. Ik controleer mezelf zorgvuldig in de spiegel. De schuurplek van het tapijt op mijn wang is zichtbaar, maar heeft zich een beetje verspreid als een normale Ierse blos; het lijkt volkomen normaal.

Ik maak een scheiding in mijn haar en kam het plat. Ik pak een overhemd en trek het aan. Ik kies een pak: het is niet nieuw en niet schoon, en gemaakt van een zware gabardine die licht naar zweet en sigarettenrook ruikt en naar de duizend andere geuren die een stadsbewoner absorbeert. Ik strik mijn das, trek mijn schoenen aan en verzamel de spullen die een man in mijn positie bij zich draagt.

Ik ga naar buiten. Mijn werkgever heeft me een auto ter beschikking gesteld; ik start de motor en rijd weg. Het is nog vroeg. Er is weinig verkeer op de weg. Niets ongewoons op de radio. Hondenuitlaters hebben het verlaten bouwterrein nog niet bezocht.

Ik kom aan op mijn werk. Ik parkeer de auto en loop naar binnen. Zoals vele werkplekken heeft ook die van mij een receptionist.

Geen aantrekkelijke jonge vrouw zoals op sommige plekken, maar een potige kerel in een brigadiersuniform.

'Goedemorgen, meneer Rafferty,' zegt hij.

Ik beantwoord zijn groet en loop door naar de teamkamer.

Sectie 7 (A) (Operationeel)

Het team kwam voor het eerst bij elkaar in mijn appartement, op een late dinsdagavond. Normaal gesproken verliep het samenstellen van een team geleidelijk, maar deze keer niet; het ene moment had ik niemand en het volgende moment waren ze er allemaal. Hoewel het mooi was om het voltallige team bij elkaar te zien, overviel het me ook een beetje, en daardoor was ik niet direct zo dankbaar als ik had willen of moeten zijn, ook omdat ik hun intenties wantrouwde. Werd ik in de val gelokt? Waren ze hier met een vooropgezet plan? Ik was een paar dagen eerder op de gebruikelijke manier met het proces begonnen, namelijk door voorzichtig de belangrijkste spelers te benaderen, of in elk geval te laten weten dat ik op zoek was naar bepaalde *soorten* belangrijke spelers. Normaal gesproken zou het samenstellen van een team een paar weken duren en stap voor stap verlopen, een toezegging hier, een tweede toezegging daar, een kettingreactie van persoonlijke aanbevelingen en tips, gevolgd door het werven van specialisten, totdat alle posities uiteindelijk waren bezet. Maar nu kwamen ze allemaal tegelijk. Ik geloofde niet dat die snelle respons te danken was aan mijn reputatie, want die is al jaren stabiel en deze reactie had ik nooit eerder gehad. Ook lag het niet aan mijn ervaring; de waarheid was dat ik allang de status van een oude rot in het vak had bereikt, en ik had juist het gevoel dat mijn aantrekkingskracht was verminderd door mijn bekendheid. Daarom keek ik het gegeven paard in de bek: zoals ik al zei, was ik wantrouwig.

Maar ik zag dat ze elkaar niet leken te kennen, wat geruststellend was en mijn angst voor een complot tegen mij wegnam. Ze behandelden me met gepast respect: ik had niet het gevoel dat ik een passagier zou zijn op mijn eigen schip. Toch bleef ik wantrouwig, wat de zaken vertraagde, en waarschijnlijk heb ik ze zelfs een beetje beledigd met mijn lauwe reactie. Maar goed, je kunt beter het zekere voor het onzekere nemen, en ik rekende erop dat het team dat zou begrijpen.

Mijn woonkamer is niet klein, ooit waren het twee kamers, voordat ik een muur liet verwijderen. Toch voelde de ruimte behoorlijk vol aan. Ik zat te roken op de bank die het beste zicht op de kamer bood. De teamleden zaten in een halve cirkel tegenover me. Drie van hen zaten schouder aan schouder op een andere bank en de rest zat op stoelen die uit andere kamers waren gehaald, behalve twee mannen die ik nooit eerder had ontmoet, zij stonden vlak achter de anderen. Ze waren allebei lang, sterk en donker, en ze keken me allebei aan met zo'n infanteristenblik, deels berustend en onbewogen en deels smekend, alsof ze me vroegen ze niet te snel te laten sterven.

Het waren duidelijk voetsoldaten – die had ik inderdaad nodig – en niet van het ongelukkige, minkukelige, dienstplichtige soort. Maar dat was logisch: ze waren hier vrijwillig, net als de anderen. En ze waren fysiek uitstekend in vorm, ongetwijfeld goed getraind en gevaarlijk, precies zoals vereist voor hun rol. Ze droegen colberts van goede kwaliteit, al waren ze wat versleten en glommen ze op de plekken waar ze strak over hun spierbundels spanden.

Er waren ook twee vrouwen. Ze zaten op barkrukken die ze uit de keuken hadden gehaald, rechts achter de drie mannen op de bank, als op een soort tussenverdieping. Ik moet bekennen dat ik teleurgesteld was dat er maar twee vrouwen bij waren. Een verhouding van twee vrouwen op acht mannen was op het randje van acceptabel volgens de huidige normen in ons vak, en ik wilde geen kritiek riskeren die vermeden kon worden. De kritiek zou niet van het publiek komen – het publiek was over het algemeen niet op de hoogte van wat we deden – maar van collega's uit de branche die invloed hadden op toekomstige opdrachten.

En ik was er niet over te spreken dat de vrouwen zich iets achter de mannen hadden gepositioneerd: er sprak wat mij betreft een soort onderdanigheid uit die ik normaal niet accepteer. Ze waren best aantrekkelijk, wat me op dat moment wel beviel, maar tegelijkertijd versterkte dit mijn vrees voor later gezeur. Ze droegen allebei een rok, niet overdreven kort, maar door de hoge krukken zag ik meer dijbeen dan volgens mij de bedoeling was. Ze droegen allebei zwarte nylonkousen, wat me even flink afleidde; ik geef grif toe dat ik graag mooie benen in zwarte nylons zie. Maar ik wilde graag geloven – voorlopig, het moest nog bewezen worden – dat ze serieuze professionals waren en ook als zodanig beschouwd moesten worden, dus ik besloot me geen zorgen meer te maken en ging verder.

De man rechts van de groep had de Eames-loungestoel uit de hal gehaald, zonder de bijbehorende voetenbank. Hij zat achterovergeleund met zijn benen over elkaar geslagen en maakte een stijlvolle indruk. Hij droeg een grijs pak. Ik vermoedde dat hij mijn contactpersoon bij de overheid was, en dat bleek te kloppen. Ik had vaker met dit soort mannen gewerkt en had meteen vertrouwen in zijn capaciteiten en vaardigheden. Vertrouwen kan natuurlijk tot inschattingsfouten leiden, maar ik was er zeker van dat ik het die avond bij het rechte eind had. Het enige wat me verontrustte, was dat hij zijn stoel een paar centimeter verder dan nodig van de groep had neergezet. Zoals ik al zei, mijn woonkamer is niet klein, maar ook niet megagroot: die paar centimeter waren een bewuste keuze. Hij wilde er iets mee uitstralen of zeggen, en ik wist dat ik daar aandacht aan moest besteden.

Ik heb Tulip-eetkamerstoelen, naar het ontwerp van de Finse ontwerper Eero Saarinen; beide exemplaren stonden nu aan weerszijden van de bank tegenover me, met mannen erop van wie ik aannam dat ze mijn transportcoördinator en communicatiedeskundige waren. Aanvankelijk besteedde ik weinig aandacht aan hen, omdat ik even afgeleid raakte door de stoelen: Saarinen was ook de ontwerper van het TWA Flight Center op John F. Kennedy Airport, of Idlewild, zoals het destijds heette. Het gebouw was terecht een icoon en een symbool van zijn tijd. Het deed me denken aan de dagen dat het eenvoudige woord 'jet' veel meer betekende dan alleen een straalvliegtuig. Privéjet, jetset, turbojet... de nieuwe Boeing

707, onwaarschijnlijk snel en gestroomlijnd, de glamour, de bredere horizon, de grotere wereld. In mijn vak weten we allemaal dat we moeten concurreren met de grootheden uit het verleden wier beste werk onlosmakelijk verbonden is met – maar niet per se gecreëerd is in – die unieke tijd. Soms voel ik me weleens ongeschikt om deze uitdaging aan te gaan, en inderdaad had ik die avond even de neiging om nog voor ik goed en wel begonnen was iedereen weg te sturen en de handdoek in de ring te gooien.

Maar ik stelde mezelf gerust met de gedachte dat ook de nieuwe wereld haar uitdagingen kent, en dat de grootheden uit het verleden misschien wel gillend zouden wegrennen als ze geconfronteerd werden met de zaken waar wij nu mee moeten dealen, zoals de verhouding tussen mannen en vrouwen en hun onderlinge interacties. Dus ik maakte mijn blik los van de stoelen en keek naar de mannen. Er was niets om me zorgen over te maken. Transport is eerlijk gezegd een eitje, slechts een kwestie van budget, en ik had geen praktische beperkingen op mijn uitgaven. Communicatie wordt elk jaar complexer, maar over het algemeen kan een vakkundige technicus overal wel mee uit de voeten. Het populaire stereotype dat computers alleen bediend kunnen worden door gepiercete jongeren met toetsenborden die verstopt liggen onder een berg oude pizzadozen en skateboards, is natuurlijk onzin. Ik heb altijd gewerkt met wie zich aandienden: serieuze experts die beheerst en zorgvuldig te werk gaan.

Links op de bank tegenover me zat de man die ik herkende als onze mol. Ik was blij met hem, maar hij baarde me ook zorgen. Het was duidelijk dat hij in het bewuste land was geboren, vrijwel zeker in Teheran of in een van de nabijgelegen voorsteden. Dat was onbetwistbaar.

Zijn DNA klopte, ik wist zeker dat zijn afkomst authentiek was. Het waren bijkomende factoren die me zorgen baarden. Ik wist zeker dat als ik hem zou natrekken, ik zou ontdekken dat hij Iran op jonge leeftijd had verlaten en naar Amerika was verhuisd. Over het algemeen levert dat de beste mollen op: een onbetwiste etnische authenticiteit en volledige loyaliteit aan ons.

Maar – en misschien ben ik gevoeliger voor dit probleem dan mijn collega's – die vormende jaren in Amerika laten zowel fysieke als mentale sporen na. De met vitamines verrijkte ontbijtgranen, de melk, de cheeseburgers; ze veranderen je. Als deze jongeman bijvoorbeeld vanwege een bizarre omstandigheid een tweelingbroer had die in Iran was achtergebleven, en je zou de twee mannen naast elkaar zetten, dan zou onze mol een paar centimeter langer en tweeenhalve kilo zwaarder zijn dan zijn broer. Wat maakt het uit, zou je je kunnen afvragen, maar het soort centimeters en het soort kilo's zijn wel degelijk van belang. Een paar grote, zelfverzekerde, rechtopstaande Amerikaanse centimeters maken een wereld van verschil. Dat geldt ook voor tweeënhalve Amerikaanse kilo's in de borst en schouders, niet in de buik. Of er tijd was om hem gewicht te laten verliezen en zijn houding te corrigeren, moest nog blijken. Zo niet, dan zouden we tot actie overgaan met een grote onzekere factor in het hart van onze operatie. Maar goed, wanneer is dat in ons vak eens niet het geval?

Aan de andere kant van de bank zat onze verrader. Hij was al iets voorbij de middelbare leeftijd, ongeschoren, een beetje gezet, een beetje grijzend, en hij droeg een verfomfaaid pak dat duidelijk door een buitenlandse kleermaker in elkaar was gezet. Zijn overhemd was gekreukt en dichtgeknoopt bij de hals, en hij droeg geen stropdas. Zoals alle verraders zou hij gemotiveerd zijn door een ideologie, geld of chantage. Ik hoopte dat het geld zou blijken te zijn. Ik vind ideologie gevaarlijk. Natuurlijk geeft het me een warm gevoel als een man alles riskeert omdat hij gelooft dat mijn land beter is dan zijn eigen land, maar achter zo'n overtuiging schuilt een bepaald fanatisme, en fanatisme is een instabiele, onvoorspelbare factor: in de blinde hitte van de geest van een fanaticus kan zelfs een ingebeelde belediging van de meest triviale soort tot vreselijke acties leiden.

Ook chantage is een onbestendige factor: wat de ene dag een schande is, is dat de volgende dag misschien niet meer. Denk maar terug aan die jetsetdagen: homoseksualiteit en overspel hebben sommige mensen enorme rijkdom opgeleverd. Zouden we vandaag de dag nog een tiende van de respons krijgen? Ik waag het te betwijfelen.

Maar geld werkt altijd. Geld is verslavend. Mensen die eenmaal geld hebben ontvangen, krijgen de smaak te pakken en kunnen niet meer stoppen. De inside informatie van deze man zou cruciaal zijn, dus ik hoopte dat hij al betaald was, anders zouden we een tweede onzekere factor op de koop toe krijgen. Zoals ik al zei, is enige onzekerheid inherent aan wat we doen, maar er zijn grenzen. Zo simpel is het.

Tussen de mol en de verrader zat de man die duidelijk de leider van de operatie zou zijn. Hij was precies zo'n man die we allemaal graag op die positie wilden hebben. Persoonlijk geloof ik dat een grafiek van de toe- en afname van mentale en fysieke capaciteiten een duidelijke piek laat zien bij mannen rond de leeftijd van vijfendertig jaar.

Tot nu toe heb ik – dat wil zeggen, als ik de keuze had – altijd gewerkt met mannen die niet jonger waren dan vijfendertig en niet ouder dan veertig. Ik schatte dat de man tegenover me netjes in die categorie viel. Hij was goed gebouwd, niet licht en niet zwaar, zat duidelijk lekker in zijn vel en was duidelijk tevreden over zijn arsenaal aan vaardigheden. Als een tweede honkman in de Major League. Hij wist wat hij deed en hij kon het de hele dag doen, als het moest. Hij was niet knap, maar ook niet lelijk; de vergelijking met de honkman was ook op dit punt toepasselijk.

'Ik ga deze operatie dus leiden?' zei hij.

'Zeker niet. Dat doe ik,' zei ik.

Ik wist niet precies hoe ik zijn vraag moest interpreteren: was hij bescheiden, maar deed hij alsof hij dat niet was? Of was hij arrogant, maar deed hij alsof hij bescheiden was? Het was iets wat ik zeker moest weten, dus ik besloot mijn mond te houden en zijn reactie af te wachten.

Hij reageerde met een gebaar: hij klopte met zijn rechterhand in de lucht voor zich, met zijn pols gebogen en zijn handpalm een beetje naar me toe gericht. Het was duidelijk bedoeld om me te kalmeren, maar het was ook een gebaar van overgave, dat stoelde op oeroude gewoonten: hij liet me zien dat hij niet gewapend was.

'Natuurlijk,' zei hij.

Ik spiegelde zijn gebaar: ik klopte in de lucht, mijn pols gebogen en mijn handpalm naar hem toe. De herhaling breidde de betekenis voor mijn gevoel uit: ik zei: oké, maakt niet uit, geen overtreding, we spelen het punt opnieuw. Het was interessant dat ik onbewust weer in sportmetaforen dacht. Maar dit was tenslotte ook een team.

'Jij bent de leider in het veld,' zei ik. 'Jij bent mijn ogen en oren. Dat moet je echt zijn. Ik wil alles weten wat jij weet. Maar onthoud goed: geen zelfstandige acties. Jij bent mijn ogen en oren, ik ben het brein.' Ik klonk waarschijnlijk erg defensief, wat niet nodig was: als ik even onbescheiden mag zijn, en dat is van tijd tot tijd nodig, ik was redelijk bekend bij een kleine kring van geïnteresseerden vanwege mijn vele succesvolle operaties waarbij ik de leiding had over een uitzonderlijk eigenwijze kerel. Ik was zonder twijfel competent. Ik had meer vertrouwen in mezelf moeten hebben. Maar het was laat en ik was moe.

De overheidsvertegenwoordiger schoot me te hulp.

'We moeten bespreken wat we precies gaan doen.'

Het overviel me even: waarom had ik een team samengesteld voordat de missie was gedefinieerd? Maar hij had gelijk: afgezien van het feit dat we naar Iran zouden gaan – en laten we eerlijk zijn, iedereen gaat tegenwoordig naar Iran – waren er nog geen details besproken.

'Het moet over nucleaire capaciteit gaan,' zei de verrader.

'Natuurlijk, waarover anders?' zei een van de vrouwen.

Het viel me op dat ze een charmante stem had. Warm en een beetje intiem. Ik vroeg me stiekem af of ik haar kon gebruiken voor de rol van verleidster. Of zou dat me nog meer problemen met de machthebbers opleveren?

'Er is ook de kwestie van regionale invloed,' zei de communicatieman. 'Is dat niet belangrijk? Maar goed, wat weet ik ervan?'

'Hun regionale invloed is volledig afhankelijk van hun nucleaire dreiging,' zei de overheidsman.

Ik liet ze even praten. Ik vond het prima om te luisteren en te observeren. Ik zag dat de twee krachtpatsers achterin zich begonnen te vervelen. Ze hadden een uitdrukking op hun gezicht van: hier word ik niet voor betaald. 'Kunnen we gaan?' vroeg een van hen. 'Je weet wat we voor je kunnen betekenen. De details kun je later doorgeven. Is dat akkoord?'

Ik knikte. Ik vond het prima. Een van hen keek me vanuit de deuropening aan met dezelfde blik als eerder: laat ons niet te snel doodgaan.

De arme infanteristen. In stilte beloofde ik hem dat niet te doen. Ik vond hem aardig. De anderen waren nog druk in gesprek. Ze discussieerden over van alles en nog wat. Doordat de Eames-stoel nogal laag was, bevond het gezicht van de overheidsman zich vlak naast de benen van de vrouw rechts. Ik benijdde hem. Maar hij was niet onder de indruk. Hij was meer geïnteresseerd in het filteren van alles wat er werd gezegd door het smalle perspectief van zijn eigen prioriteiten. Op een gegeven moment keek hij me aan en vroeg rechtuit: 'Hoeveel problemen met Buitenlandse Zaken vind je eigenlijk acceptabel?'

De vraag was minder dom dan hij misschien klonk. Het was waar dat je weinig voor elkaar kon krijgen zonder het ministerie van Buitenlandse Zaken in zekere mate te ergeren. En precies om die reden werkten we met overheidsvertegenwoordigers: zij brachten de gemoederen tot bedaren terwijl wij de operatie die op dat moment werd uitgevoerd, afrondden. Zijn vraag leek een belofte te impliceren: hij zou doen wat nodig was. Ik vond het genereus en moedig van hem.

'Luister, allemaal,' zei ik. 'Natuurlijk zal ik proberen het geheel zo soepel en probleemloos mogelijk te laten verlopen. Maar we zijn allemaal volwassenen. We weten hoe het gaat. Als het nodig is, zal ik jullie vragen om die stap extra te zetten.' Daarop stelde de transportcoördinator een daaraan gerelateerde, maar meer praktische vraag: 'Voor hoelang tekenen we?'

'Tachtig dagen,' zei ik. 'Negentig, max. Maar je weet hoe het gaat. We zullen niet elke dag actief zijn. Ik wil jullie vragen voor zes maanden beschikbaar te zijn. Dat lijkt me realistisch.'

Hier was iedereen even stil van. Maar uiteindelijk knikten ze allemaal en stemden ze in. Wat ik opnieuw moedig vond.

Ze kenden de spelregels, om nog maar eens een sportmetafoor te gebruiken.

Een operatie die zes maanden duurde, in vijandelijk gebied in het buitenland, zou zeker slachtoffers eisen. Ik wist het, en zij wisten het. Sommigen van hen zouden niet terugkeren. Maar niemand krabbelde terug.

Er werd nog een uur of wat gepraat, en nog een uur. Ik had het gevoel dat ik ze allemaal zo goed leerde kennen als nodig was. Ze vertrokken pas diep in de nacht. Toen ze de deur uit waren, belde ik mijn redacteur. Ze vroeg hoe het met me ging, wat bij een redacteur eigenlijk betekent: 'Heb je nieuw materiaal?'

Ik vertelde dat ik goed op weg was met iets behoorlijk interessants, en dat een deadline van zes maanden voldoende zou moeten zijn. Ze vroeg wat het was, en ik vertelde dat het idee was ontstaan toen ik stoned was. Ik sprak op de toon waarop ik altijd tegen haar sprak. Ze weet nooit zeker of ik een grapje maak of niet. Dus ze vroeg het nog een keer. Ik zei dat ik de personages al had uitgewerkt en dat de plot zich al schrijvende zou ontwikkelen. Iran, in elk geval. Voor de grap beschreef ik mijn idee in het soort taal dat je in recensies tegen zou komen, als we die zouden krijgen: ik zei dat het niet per se grensverleggend zou zijn, maar een goed voorbeeld binnen het genre.

Verslaafd aan zoet

De man die zichzelf Socrates noemde, zei tegen de geketende man: 'Wit poeder heeft altijd al veel geld opgeleverd.' De man was geketend met vier paar handboeien aan polsen en enkels, die elk aan de andere kant waren vastgezet aan een ijzeren ring in de vloer. Hierdoor zat hij gehurkt als een fakir in een natte plas, half op zijn billen en half op zijn voeten, met zijn knieën opgetrokken en zijn armen ertussenin. Zijn hoofd was opgeheven en zijn natte haar plakte tegen zijn schedel. Hij probeerde de man duidelijk aan de praat te houden.

'Altijd al?' vroeg hij.

'Nou, oké, niet altijd,' zei Socrates. 'Misschien niet in het stenen tijdperk. Of in de bronstijd of de ijzertijd. En wat de middeleeuwen betreft, weet ik het ook niet zeker. Maar sowieso de afgelopen driehonderd jaar.'

'Suiker,' zei de geketende man.

'Ja,' zei Socrates, tevreden met het antwoord. Hij had de Braziliaanse nationaliteit, maar etnisch gezien stroomden er allerlei soorten bloed door zijn aderen: Maya, Azteeks, Caribisch, een beetje Spaans, een beetje Portugees, en een lange lijn West-Afrikaans van slaven op het eiland Antigua. 'In West-Indië werd op elke beschikbare centimeter grond suikerriet verbouwd. Er was een onverzadigbare vraag vanuit Europa. Er werden fortuinen verdiend. Maar het werk was zwaar voor degenen die het moesten uitvoeren.'

'Slaven,' zei de geketende man.

'Precies,' zei Socrates. 'Schoffelen, planten, wieden en oogsten was loodzwaar werk. Het koken en laten kristalliseren van het sap vereiste speciale kennis. Maar het werd allemaal door slaven gedaan.'

De geketende man was een witte Amerikaan, dus hij zei: 'Sorry.'

'Het is jouw schuld niet,' zei Socrates. 'In West-Indië waren de plantage-eigenaren Brits.'

De kamer waarin de twee mannen zich bevonden, was de woonkamer van een huis in een buitenwijk dat sinds een uur leegstond. De bewoners was te verstaan gegeven dat ze een lange wandeling moesten gaan maken, en Socrates had erop toegezien dat zijn helpers de ijzeren ring goed in de vloer schroefden. Daarna waren zijn mannen ook een lange wandeling gaan maken, maar niet voordat ze een jerrycan met twintig liter benzine hadden gebracht. De geketende man was ermee overgoten. De vloeistof waarmee zijn haar tegen zijn schedel plakte, was benzine, en de plas waarin hij zat, was ook benzine. Een liter of vier, tot nu toe, maar met een beetje benzine kom je een heel eind.

'De plantage-eigenaren hadden op elke hectare land één veldarbeider. Daarnaast hadden ze geschoolde arbeidskrachten voor het proces na de oogst, en huishoudelijk personeel. Omdat de eigenaren ver in de minderheid waren, soms twintig op één, behandelden ze hun slaven extreem wreed. Ze lieten ze te hard werken in de zon en maakten misbruik van hen in hun huizen, vooral van de vrouwen. Ze verkrachtten de mooie vrouwen en lieten de lelijke zich doodwerken.'

'Opstanden,' zei de geketende man.

'Ja,' zei Socrates. 'De eigenaren leefden in een permanente staat van angst voor opstanden. Terecht, mag ik wel zeggen. Dat verdienden ze ook. Ze waren altijd alert op mogelijke complotten. Die waren trouwens zeldzaam, al kwamen ze wel voor.'

De geketende man zei niets. Socrates liep langzaam in cirkels om de benzineplas heen, met de klok mee, gloedvol orerend, genietend van zijn eigen verhaal, zoals hij zich voorstelde dat zijn naamgenoot vroeger op de marktpleinen van het oude Athene had gedaan.

'Wat denk je dat de eigenaren deden als ze een geplande opstand ontdekten?'

'Een voorbeeld stellen,' zei de geketende man.

'Precies,' zei Socrates. 'Ze straften de verzetsleiders genadeloos af, als afschrikwekkend voorbeeld. Daar hadden ze twee favoriete methoden voor. Weet je welke?'

'Nee.'

'De eerste was radbraken. Weet je wat dat was?'

De geketende man wist het wel, maar om de man aan de praat te houden zei hij: 'Nee.'

'Een man werd met zijn polsen en enkels aan een groot wagenwiel gebonden,' zei Socrates. 'Vervolgens werd een andere slaaf gedwongen om met een zware ijzeren staaf zijn botten te verbrijzelen. Al zijn botten, langzaam, een voor een. Misschien eerst een arm, dan het been aan de andere kant, en ga zo maar door. Net zo lang tot het lichaam van het slachtoffer als een zak pudding aan het wiel hing, zonder enige steun van zijn skelet. De pijn moet ondraaglijk zijn geweest.'

'Ja,' zei de geketende man.

'De tweede methode was om de oproerkraaiers levend te verbranden. Ze werden aan een paal vastgebonden en om hen heen werd een vuur aangestoken.'

De geketende man zei niets.

'De kracht van het voorbeeld,' zei Socrates. 'Uiterst effectief. Er was verzet, maar verrassend weinig als je bedenkt dat een overweldigende meerderheid van de mensen lange tijd verschrikkelijke kwellingen heeft ondergaan.'

'Vreselijk,' zei de geketende man.

Socrates glimlachte. 'Maar het ging om enorme kapitalen die men veilig wilde stellen. Zowel toen als nu. Wit poeder en een onverzadigbare vraag. Onmetelijke rijkdom, nog nooit eerder vertoond. Moet ik je levend verbranden?'

'Nee,' zei de geketende man.

'Maar je hebt van me gestolen.'

'Dat is niet waar.'

'Er ontbreekt een half miljoen dollar.'

'Dat was een fout.'

'Slordige boekhouding?'

'Ja.'

'Het kristalliseren van de suiker was een vak apart. De rietstengels werden in de molens geplet, het sap werd afgetapt en gekookt, de melasse werd eraf geschept, de zuivere stroop werd in de zon gedroogd, er werd kalk toegevoegd, en dan had je suiker. Dat wil zeggen, als het proces goed werd uitgevoerd. Als dat niet zo was, kostte dat geld en werd de arbeider vreselijk geslagen, vaak gegeseld, ook al was hij een bekwame arbeider, ook al was het proces heel ingewikkeld en ook al was zijn fout misschien volkomen onopzettelijk. Soms hakten ze hem een ledemaat af, meestal een been. Soms werd hij gecastreerd.'

De geketende man zei niets.

'Het ging om de kracht van het voorbeeld,' zei Socrates.

De geketende man verplaatste zijn gewicht en zei: 'Het ging maar om een paar centen.'

'Van wie?' vroeg Socrates vol interesse. 'Van de plantage-eigenaren of van mij?'

'Allebei.'

'Dat klopt,' zei Socrates. 'Een okshoofd suiker stelde niet veel voor. Het was maar een miniem percentage. Onbeduidend, net zoals een zak geld voor mij.'

'Dat bedoel ik.'

'Maar de grote plantage-eigenaren hadden honderden slaven. Stel dat die slaven allemaal hun werk onzorgvuldig deden? Een okshoofd hier, een okshoofd daar, onkruid in de velden, gewassen te laat geplant voor de regen? Wat dan?'

De geketende man antwoordde niet.

'Ik heb meer dan honderden medewerkers. Duizenden, alles bij elkaar. Stel je voor dat ze allemaal kleine foutjes maken?'

'Ik kon er niets aan doen. Ik doe mijn best.'

'Daar ga ik van uit. Maar wat als ze allemaal net zo slordig als jij worden?'

'Het was maar een klein bedrag.'

'En het was maar één okshoofd suiker.'

'Dat bedoel ik. En het was gewoon een fout.'

'Dus je wilt dat ik je genade schenk?'

'Alsjeblieft.'

'Maar de kracht van het voorbeeld dan?'

'Het was een vergissing, dat is alles.'

Socrates liep naar de hoek van de kamer en pakte de jerrycan. Die was van rood metaal en had een schuine tuit. De benzine klotste, verspreidde zijn dampen en golfde met kleine metalige geluidjes in de jerrycan heen en weer. Socrates tilde de jerrycan hoog op, liep terug naar de geketende man, kantelde het ding als een theepot en liet een dunne straal over het hoofd van de man lopen. De man verschoof op zijn plek, de benzine bleef hangen in de holtes boven zijn sleutelbeenderen en droop langs zijn nek en rug omlaag. De man hapte naar adem alsof de benzine ijskoud was, of alsof hij heel bang was, of allebei. Socrates ging een volle dertig seconden zo door, tot hij opnieuw zo'n vier liter over de man had uitgegoten. Toen zette hij de jerrycan terug in de hoek van de kamer en begon weer in cirkels om de man heen te lopen.

'Het geld was van mij, niet van jou,' zei hij.

'Het spijt me,' zei de geketende man.

'Wat spijt je?'

'Het spijt me van de vergissing.'

'Denk je dat spijt genoeg is?'

'Ja.'

'Overtuig me.'

De geketende man haalde diep adem, zich ervan bewust dat wat hij nu zou zeggen cruciaal was.

'Elk proces kent zijn gebreken. Bij de suiker werd er vast weleens wat gemorst en lekte er wat sap weg. Dat is onvermijdelijk. Je moet jezelf niet gek maken door naar perfectie te streven.'

'Maak je je nu zorgen om mijn geestelijk welzijn?'

'Ik zeg het alleen maar. Verliezen zijn onvermijdelijk. Fouten ook. Je kunt je niet overal druk over maken.'

'Dat doe ik ook niet,' zei Socrates. 'Niet overal over. Want je hebt gelijk: honderd procent perfect is onmogelijk. Daarom stel ik realistische doelen.'

'Dan is het in orde.'

'Nee,' zei Socrates. 'Het is niet in orde. Je hebt de grens overschreden. Driehonderdduizend, misschien vier, dat is binnen de marge. Maar jij nam er vijf. Dat is buiten de marge.'

'Maar je hebt miljarden. Je bent schatrijk.'

'Ik ben schathemeltjerijk.'

'Dus een fout van een half miljoen is alsof je een dubbeltje tussen de bankkussens verliest.'

Socrates haalde een pakje sigaretten uit zijn zak, nam er een sigaret uit en stak die tussen zijn lippen. Hij pakte zijn aansteker. Het was een plastic Bic, cilindervormig, een wegwerpaansteker, niets bijzonders. Hij knipte hem niet aan. Hij speelde er alleen een beetje mee, liet hem snel ronddraaien tussen zijn vingers, als een majorettestokje.

'Het schijnt zo te zijn dat suiker in kleine hoeveelheden van vitaal belang is voor het menselijk organisme,' zei hij. 'Maar omdat suiker extreem moeilijk te vinden was in de natuur, heeft het lichaam een extreem grote, permanente zucht naar suiker ontwikkeld. Dat was in elk geval wat die Britse plantage-eigenaren constateerden. Ze verkochten alle suiker die ze produceerden. De vraag nam niet af, zelfs niet toen mensen genoeg suiker kregen. Ze raakten verslaafd aan zoet.'

De geketende man glimlachte in een poging tot kameraadschappelijkheid. 'Mensen zijn ook verslaafd aan wat wij verkopen,' zei hij.

'Nee, ze zijn verslaafd aan wat ík verkoop,' zei Socrates. 'Er bestaat geen "wij" meer. Over een uur zul je nauwelijks meer een herinnering zijn.'

De geketende man reageerde niet.

'Mijn punt is dat die oude, primitieve drang naar bepaalde voeding ons vatbaar heeft gemaakt voor verslaving. Een miljoen jaar lang waren we genoodzaakt op zoek te gaan naar bepaald voedsel, en daar kunnen we niet zomaar mee stoppen. We kunnen na die lange evolutionaire geschiedenis niet zomaar een knop omzetten.'

'Maar dat is juist goed. Voor ons bedrijf, bedoel ik.'

'In het algemeen wel, ja,' zei Socrates. 'Maar voor jou is het slecht. Mensen raken ook verslaafd aan geld. Kijk maar naar mij. Ik heb vroeger heel hard moeten werken. Dat is mijn evolutionaire geschiedenis. Ik kan nu niet zomaar een knop omzetten.'

'Maar je bent rijk. Je zult altijd rijk zijn.'

'Dus ik zou nu moeten stoppen? Bedoel je dat soms? Stopt iemand met koekjes eten omdat hij die dag al genoeg suiker heeft gehad? Nee, hij blijft maar in dat pak graaien totdat alle koekjes op zijn.'

'Het was een klein bedrag.'

'Het was van mij.'

'Je hebt genoeg.'

'Ik heb nooit genoeg. En je vergeet iets. Rijk zijn heeft geen betekenis als er geen arme mensen bestaan.'

'Wil je dat ik arm ben?'

'Ik hou van het verschil. Het geeft me een goed gevoel.'

'Ik dacht dat het je om de kracht van het voorbeeld ging.'

'Ja, dat ook.'

Op dat moment gaf de geketende man het op en wachtte af.

Socrates voelde dat de man zich overgaf. De lol was eraf. Hij liep naar de hoek van de kamer en pakte de jerrycan. Hij goot weer benzine over het hoofd van de man, terwijl die ineenkromp, tegenspartelde en jammerde. Toen trok hij een spoor van benzine richting de deur. Hij hield de jerrycan ondersteboven en schudde de laatste druppels eruit. Hij zette de jerrycan op de vloer, liep door de gang en deed de voordeur open. Zijn mannen waren terug van hun wandeling. Ze zaten in de auto's te wachten.

Buiten stond een stevige bries, genoeg om binnen een tochtvlaag te veroorzaken, genoeg om de benzinedampen in beweging te brengen en de geur te verspreiden. De wind blies parallel aan de voorkant van het huis, waardoor er een licht Venturi-effect ontstond waarbij er lucht uit het huis werd gezogen, zoals een spuitpistool verf uit een reservoir zuigt. Socrates vermoedde dat het hele huis af zou fikken, maar dat kon hem niet schelen. Het was niet van hem.

Hij draaide aan het wieltje van zijn aansteker. Er gebeurde niets. Het gekartelde wieltje draaide zonder weerstand rond en bleef toen vastzitten. Het vuursteentje was gebroken, en het losgeraakte stukje had het mechanisme geblokkeerd. Hij liet de aansteker vallen en trok zijn pistool. Hij richtte op zo'n halve meter afstand op de vloer, precies op het benzinespoor. Hij dacht dat de mondingsvlam het werk zou doen, of anders de hitte van de kogel zelf. De bries werd sterker, de dampen verspreidden zich, hij haalde de trekker over en de lucht om hem heen vloog in brand, blauwe vlammen dansten, kronkelden en draaiden in het rond, kleefden eerst aan het niets maar toen aan zijn kleren, zijn haar, zijn huid. Hij richtte zich langzaam op, deinde heen en weer, draaide zich om, brandend, en liep in een zinloze cirkel rond binnen een kring van vuur. De bries voedde de vlammen en trok meer benzinedampen uit het huis, wat het vuur nog meer aanwakkerde. Socrates slaagde erin de deur uit te lopen, zette twee stappen in de richting van zijn auto, maar viel vervolgens met een plof voorover op de grond, waarna de wind de voordeur achter hem dichtsloeg.

De geketende man hoorde het geschreeuw, vervolgens hoorde hij auto's wegrijden en daarna hoorde hij helemaal niets meer, totdat de bewoners van het huis een uur later terugkwamen. Ze belden de politie niet. Niemand vond dat een goed idee. In plaats daarvan belden ze de vrienden van de geketende man, en een uur later verschenen vier kerels met betonscharen. Met zijn vijven verlieten de mannen het huis, buiten stapten ze over de verkoolde zwarte massa op de oprit.

De vereniging van stompzinnige heren

Voor één keer deed de FBI het juiste: ze stuurden de anglofiel naar Engeland. Naar Londen om precies te zijn, voor een driejarige detachering op de ambassade aan Grosvenor Square. Vermaak in overvloed en de taken waren licht. De meeste agenten voerden achtergrondchecks uit bij visumaanvragers en potentiële immigranten en hielden de internationale ontwikkelingen in de peiling, maar ik werkte samen met de Londense Metropolitan Police wanneer er in de stad misdrijven plaatsvonden waarbij Amerikaanse burgers betrokken waren, hetzij als slachtoffer, getuige of dader. Ik genoot met volle teugen, zoals ik al verwacht had. Ik hou van dat soort werk, ik hou van Londen, ik hou van de Britse levensstijl, ik hou van het theater, de cultuur, de pubs, het vertier, de mensen, de gebouwen, de Theems, de mist, de regen. Zelfs van het voetbal. Ik had verwacht dat het geweldig zou zijn, en dat was het ook.

Maar toen.

De vereniging van stompzinnige heren

Op een druilerige woensdagochtend in februari hielp ik een handje bij het stempelen van immigratiepapieren, zoals ik wel vaker deed, toen ik werd gered door een telefoontje van een brigadier van Scotland Yard, die namens zijn inspecteur vroeg of ik naar een plaats delict ten noorden van Wigmore Street en ten zuiden van Regent's Park kon komen. Naar het deel van Baker Street met huisnummers vanaf 200 om precies te zijn, wat genoeg was om mijn anglofiele hart te laten overslaan, want elke anglofiel weet dat Baker Street 221B het fictieve adres van Sherlock Holmes was. Het was goed mogelijk dat ik me straks recht onder het fictieve raam van de grote speurder zou bevinden. En dat bleek ook zo te zijn, net als onder vele andere ramen, want de plaatsen delict van de Met zijn altijd enorm uitgebreid.

Je hebt *CSI* op televisie, waarbij elke zaak in drieënveertig minuten via DNA-sporen wordt opgelost, en je hebt de technische recherche van de Metropolitan Police, die drieënveertig minuten bezig is om straten af te sluiten en voetgangers om te leiden, vervolgens drieënveertig minuten lang bezig is om zichzelf in witte pakken en witte overschoenen en witte mutsjes te hullen, daarna drieënveertig minuten om politietape tussen lantaarnpalen en hekwerken te spannen, en dan nog eens drieënveertig minuten om witte tenten op te zetten en witte lakens te draperen over alles wat ook maar enigszins van belang zou kunnen zijn. Toen ik bij de plaats delict aankwam, trof ik dus een redelijk geslaagde imitatie van een rondreizend circus aan. Er was uiteraard een politiekordon gelegd van verschillende niveaus, waar ik doorheen kwam door mijn papieren van het ministerie van Justitie te laten zien en de naam van de inspecteur te noemen, namelijk Bradley Rose.

Rose beende heen en weer over het vochtige trottoir naast de grootste witte tent. Hij was een kleine, stevige man, hij droeg geen stropdas maar wel een kekke bril, en zijn hoofd was kaalgeschoren. Hij zag eruit als een ouderwetse Londense boevenvanger, een zachtaardige man, maar wel iemand die geen tijd had voor bullshit, iets wat zijn eigen afdeling overigens in ergerlijk royale hoeveelheden produceerde.

Hij wees met zijn duim naar de tent en zei: 'Dode man.'

Ik knikte. Het verbaasde me natuurlijk niet. Zelfs de Met komt niet met tenten en witte pakken aanzetten bij een tasjesroof.

Hij wees nog eens met zijn duim en zei: 'Een Amerikaan.'

Ik knikte opnieuw. Rose zou dat kunnen concluderen op basis van het gebit, de kleding, de schoenen, het kapsel of het postuur van het slachtoffer, maar hij zou me niet officieel bij de zaak betrokken hebben als hij er niet al solide bewijs voor had. Alsof hij de onuitgesproken vraag beantwoordde, pakte hij twee plastic bewijszakjes uit zijn broekzak. In het ene zat een opengeslagen blauw Amerikaans paspoort, in het andere een wit visitekaartje. Hij gaf beide zakjes aan mij, wees opnieuw met zijn duim naar de tent en zei: 'Zat in zijn zakken.'

Natuurlijk haalde ik het bewijs niet uit het plastic. Ik draaide de zakjes rond en bekeek beide stukken door het plastic heen.

De foto in het paspoort toonde een sombere man met een bleek gelaat en hangende oogleden. Hij keek zowel ontwijkend als provocerend in de lens. Toen ik opkeek, zei Rose: 'Waarschijnlijk is dat hem. Zijn *boat* matcht met de foto.'

Boat was een afkorting van *boat race*, wat Cockney rhyming slang is voor *face*. *Apples and pears: stairs, trouble and strife: wife, plates of meat: feet*, en ga zo maar door. 'Doodsoorzaak?' vroeg ik.

'Mes tussen zijn ribben,' zei Rose.

De naam op het paspoort was Ezekiah Hopkins.

'Heb je die naam eerder gehoord?' vroeg Rose.

'Hopkins?'

'Nee, Ezekiah.'

Ik keek omhoog naar de ramen. 'Jazeker.'

Hij was geboren in Pennsylvania, Verenigde Staten.

Ik gaf het zakje met het paspoort terug aan Rose en bekeek het visitekaartje. Het was onmogelijk om het zeker te weten zonder het kaartje aan te raken, maar het leek een goedkoop ding. Dun papier zonder textuur, een eenvoudige print, geen reliëf. Het was het soort visitekaartje dat iedereen online kan bestellen voor een paar pond per duizend stuks. Op het kaartje stond Hopkins, Ross & Spaulding, alsof het een soort firma was. Er stond niet bij wat voor firma het was. Wel stond er een telefoonnummer op het kaartje, met een 610-netnummer: Oost-Pennsylvania, maar niet Philadelphia. Het adres op het kaartje was simpelweg Lebanon, PA. Ten oosten van Harrisburg, als ik me goed herinnerde. Paste bij het 610-nummer. Ik was er nooit geweest.

'Heb je het nummer gebeld?' vroeg ik.

'Dat is jouw taak,' zei Rose.

'Er neemt toch niemand op,' zei ik. 'Wedden dat het nep is?'

Rose keek me lang aan en pakte toen zijn telefoon. 'Dat hoop ik dan maar. Internationale telefoontjes zitten niet in mijn pakket. Als er iemand in Amerika opneemt, kost me dat een rib uit mijn lijf.' Hij toetste 001, toen 610 en toen de volgende zeven cijfers. Van twee meter afstand hoorde ik de triomfantelijke drietoon van het telefoonnetwerk die aangaf dat het nummer niet in gebruik was. Rose hing op en keek me weer aan.

'Hoe wist je dat?' vroeg hij.

'*Omne ignotum pro magnifico est*,' zei ik.

'Wat is dat?'

'Latijn.'

'Waarvoor?'

'Al het onverklaarde lijkt wonderbaarlijk. Met andere woorden: een goede goochelaar onthult nooit zijn trucs.'

'Ben je nu ineens een goochelaar?'

'Ik ben een special agent van de FBI.' Ik keek weer omhoog naar de ramen.

Rose volgde mijn blik en zei: 'Ja, ik weet het. Sherlock Holmes woonde hier.'

'Nee, dat is niet zo,' zei ik. 'Hij heeft nooit bestaan. Hij is verzonnen. Net als deze gebouwen. In de tijd van Arthur Conan Doyle liep Baker Street maar tot ongeveer nummer tachtig. Of honderd, misschien. De rest was een landweg. Marylebone was een apart dorpje een paar kilometer verderop.'

'Ik ben in Brixton geboren,' zei Rose. 'Ik weet daar niets van.'

'Nummer 221 is bedacht door Conan Doyle,' zei ik. 'Net zoals telefoonnummers in films en op tv bedacht zijn. En de kentekens van auto's. Zodat ze geen problemen veroorzaken voor echte mensen.'

'Wat wil je hiermee zeggen?'

'Dat weet ik nog niet,' zei ik. 'Maar ik neem het paspoort mee. Als jij er klaar mee bent, bedoel ik. Want het is waarschijnlijk ook nep.'

'Wat heeft dit allemaal te betekenen?'

'Waar woon je?'

'In Hammersmith,' zei hij.

'Is er in Hammersmith een bibliotheek?'

'Vast wel.'

'Ga een boek lenen: *De avonturen van Sherlock Holmes*. Het tweede verhaal. Het heet 'De vereniging van roodharige heren'. Lees het vanavond, dan kom ik morgenochtend bij je langs.'

Een bezoekje aan Scotland Yard is altijd leuk. Het is een stukje geschiedenis. En een stukje toekomst. Scotland Yard is tegenwoordig heel modern. Veel informatietechnologie. Veel mensen die er gebruik van maken. Ik trof Rose in zijn kantoor, dat niet meer was dan een met meubels afgezette werkplek in een open ruimte. Een soort door een kind gebouwd fort.

'Ik heb het boek, maar ik heb het nog niet gelezen. Ik ga het nu doen.' Hij wees op een dikke paperback op zijn bureau. Om hem wat tijd te geven, ging ik met het paspoort van Ezekiah Hopkins terug naar de ambassade om het te laten controleren. Het bleek vervalst, maar behoorlijk goed vervalst, op een paar fouten na die zo in het oog sprongen dat ze wel opzettelijk aangebracht moesten zijn. Als uitdagingen, of provocaties. Ik ging terug naar Scotland Yard, en Rose zei: 'Ik heb het verhaal gelezen.'

'En?'

'Alle namen komen erin voor. Ezekiah Hopkins, Ross en Spaulding. Lebanon, Pennsylvania. En Sherlock Holmes gebruikte dezelfde Latijnse uitdrukking als jij. Hij was blijkbaar een geleerd man.'

'En waar ging het verhaal over?'

'Dwaalsporen,' zei Rose. 'Er werd een list bedacht, bedoeld om een zekere meneer Wilson regelmatig voor een paar uur van zijn werk weg te lokken zodat er in zijn afwezigheid een snode daad kon worden gepleegd.'

'Heel goed,' zei ik. 'En wat kan dat verhaal ons vertellen?'

'Niets,' zei Rose. 'Helemaal niets. Niemand is mij van mijn werkplek aan het weglokken. Ik was waar ik moest zijn. Ik ben waar dode mensen zijn.'

'En?'

'En als ze me inderdaad proberen weg te lokken, dan zouden ze toch van tevoren geen aanwijzingen achterlaten? Dan zouden ze me niet van tevoren al op het juiste spoor zetten. Dat zou toch geen zin hebben?'

'Misschien wel.'

'Hoezo dan?'

'Als dit gewoon een zaak was waarbij een buitenlander was doodgestoken in Baker Street, wat zou je dan doen?' vroeg ik.

'Niet veel, eerlijk gezegd.'

'Precies. Het zou niets bijzonders zijn. Maar wat ga je nu doen?'

'Ik ga uitzoeken wie me zit te stangen. Als eerste ga ik terug naar de plaats delict om te zien of we geen aanwijzingen gemist hebben.'

'*Quod erat demonstrandum*,' zei ik.

'Wat is dat?'

'Latijn.'

'Voor wat?'

'Ze lokken je weg. Ze zijn geslaagd in hun opzet.'

'Waarvan lokken ze me weg? Ik doe niets belangrijks op het bureau.'

Omdat hij erop aandrong, gingen we terug naar Baker Street. De tenten stonden er nog. Het lint wapperde nog in de wind. We vonden geen verdere aanwijzingen. Dus onderzochten we in plaats daarvan de omgeving, fysiek, speurend naar het soort ernstige misdrijven dat kan plaatsvinden als de politie de andere kant op kijkt. We vonden niets. In dat deel van Baker Street bevonden zich het officiële Sherlock Holmes Museum, het wassenbeeldenmuseum, een paar onbeduidende winkels en een paar banken, maar de banken waren toch al failliet. Als je er een opblies, zou je ze een aanzienlijke gunst bewijzen.

Toen wilde Rose een boek dat dieper inging op de verschillende Sherlock Holmes-verwijzingen, dus nam ik hem mee naar de British Library in Bloomsbury. Hij zat een uur met zijn neus in een geannoteerd compendium. Hij raakte gefascineerd door de geografische fouten die Conan Doyle had gemaakt. Hij kreeg het idee dat het verhaal dat hij had gelezen op een andere manier gelezen kon worden, alsof het in codetaal was geschreven. Al met al hebben we de rest van de week eraan besteed. De woensdag, de donderdag en de vrijdag. Minstens dertig uur. Het leidde tot niets. We boekten geen vooruitgang. En verder gebeurde er ook niets; geen van Roses andere zaken liep uit de hand, er vond niet meer criminaliteit dan anders plaats in Londen. Er gebeurde niets. Helemaal niets.

Naarmate de weken verstreken, raakte de zaak bij Rose en mij op de achtergrond. En voor zover ik weet, heeft Rose er nooit meer aan gedacht.

Ik natuurlijk wel. Want drie maanden later werd duidelijk dat ik degene was die was weggelokt. Mijn interesse was gewekt en ik had me dertig uur vermaakt met de dingen waar anglofielen dol op zijn. Ze hadden erop gerekend dat dat zou gebeuren. Ze hadden het goed ingeschat. Ze wisten dat ik zou worden opgetrommeld vanwege de dode Amerikaan en ze wisten welke wortels ze me moesten voorhouden om mij als een Duracellkonijn aan de gang te houden.

Drie dagen. Dertig uur. Niet in het gebouw aanwezig, niet in staat om een handje te helpen bij het stempelen en niet in de gelegenheid om op te merken dat ze de studie van hun kinderen betaalden door het stempelen van visa die onmiddellijk afgewezen hadden moeten worden. Dat is de reden waarom er vier individuen de Verenigde Staten binnen wisten te komen, en dat is de reden waarom er driehonderd mensen stierven in Denver, en dat is de reden waarom ik – niet in staat om naderhand mijn naïeve onschuld te bewijzen – in mijn eentje in de Leavenworth-gevangenis in Kansas zit opgesloten, waar toevallig een van de weinige toegestane boeken *De avonturen van Sherlock Holmes* is.

Ik heb een romantisch verhaal gehoord

Ik heb een romantisch verhaal gehoord. Ik hoorde het terwijl ik klaarzat om een man te vermoorden. Niet zomaar een man, trouwens. Deze man werd een prins genoemd, en dat was hij volgens mij ook. Veel kerels daar zijn prinsen. In die contreien heeft een land er niet maar één of twee. Families hebben prinsen. Allerlei soorten families. Ze hebben hun eigen prinsen. Er zijn er honderden. Ze hebben daar zoveel prinsen dat er ook klootzakjes van vijfentwintig bij kunnen zitten. Zo'n prins was het doelwit. Zo'n klootzakje. Hij zou aankomen in een grote Mercedes. Hij zou achter uit de auto stappen en ongeveer tien passen richting de overdekte veranda voor het huis lopen. Het was het soort veranda dat ze bij Marriott-hotels hebben, maar dan kleiner. De plek waar je uit zo'n shuttlebusje stapt. Alleen was deze te smal voor auto's en waarschijnlijk bedoeld om mensen of dieren beschutting tegen de zon te bieden. Want we waren in India, trouwens. Het was midden op de dag, de zon brandde genadeloos en fel. Maar deze man zou naar deze overdekte veranda lopen. De veranda was gedeeltelijk ommuurd. En zodra ik zeker wist dat hij in een regelmatig tempo liep, moest ik op de knop drukken voordat hij bij de zijmuur van de veranda was, want de bom bevond zich natuurlijk achter die muur. Ik hoefde dus alleen maar op een knop te drukken. Dat kan een man wel in zijn eentje af. Maar natuurlijk stuurden ze twee mannen. Dat doen ze altijd. Mannen zijn nooit alleen. Zie je in films weleens een man alleen? Nee, ook hij is niet alleen, want er staat een cameraman voor zijn neus. Anders zou je de man niet zien. Dan zou er geen film zijn. Ze zijn dus minimaal met z'n tweeën. En zo was het bij ons ook. Twee mannen. Als ik een sluipschutter was, zou je de andere man de spotter noemen. Maar ik was geen sluipschutter. Ik hoefde alleen maar op een knop te drukken. Ik had geen spotter nodig. Maar toch was hij er. Waarschijnlijk een kerel van de CIA. Hij praatte tegen me. Ik kreeg de indruk dat hij het doelwit moest bevestigen en zijn goedkeuring moest geven. Misschien wilden ze geen gedoe met zenders en ontvangers en hadden ze daarom die vent naast me gezet. Vlak naast mijn oor. En hij wist kennelijk dat de Mercedes nog niet in de buurt was, dat we nog tijd hadden, en dat hij straks pas zijn goedkeuring hoefde te geven. We hadden vanaf onze plek trouwens zicht op de weg. In elk geval op de laatste honderd meter. Het deel na de bocht. We zouden de stofwolken al van kilometers afstand zien. Maar die zagen we niet, dus de man had alle tijd om te praten. Hij vertelde hoe we op dit punt waren gekomen met deze prins. Hij vertelde het hele verhaal. Hoe het plan in elkaar stak. Wat overigens niet erg ingewikkeld was. Het kwam neer op een paar tamelijk simpele dingen. Als alle elementen bij elkaar kwamen, zou het plan slagen. En een van de elementen was de inzet van een vrouw, en dat deel van het plan verliep vlekkeloos. Dat vertelde die man. Ik kreeg de indruk dat hij verantwoordelijk was voor het deel van het plan dat met de vrouw te maken had. Hij had de leiding. Hij had de vrouw geselecteerd. Het was natuurlijk een kwestie van de juiste match. Je moet de juiste persoon aan de juiste taak koppelen. En dat had de man gedaan. Volgens mij had hij het volste vertrouwen in zijn keuze. Het probleem was dat de beste kandidaat voor de taak de vrouw was op wie hij verliefd was, wat hem natuurlijk in een lastig parket bracht. Hij moest de vrouw van wie hij hield de strijd in sturen. En niet het soort strijd met geweren en bommen. De wapens die zijn vriendin zou inzetten, waren veel persoonlijker van aard. Zo'n missie was het. Daar was de man zich natuurlijk volledig van bewust. Hij was de leider. Ik beweer trouwens niet dat hij die methode had uitgevonden, maar hij was op dat moment de meest vooraanstaande expert op dat gebied ter wereld. Hij was de grote man. Er was geen reden om zijn capaciteiten in twijfel te trekken. Hij deed het juiste. Hij was een professional. Hij zette het belang van zijn land voorop. De vrouw ging op missie en ze deed het uitstekend, want nog geen twee weken later was de prins in zijn Mercedes onderweg naar dit huis. Dat noem ik nog eens toewijding. Twee weken is kort. Om binnen twee weken een positief resultaat te krijgen, is uitzonderlijk. Ik hoefde nu alleen nog maar op de knop te drukken. Ik was de laatste schakel in het plan. Het enige wat ik hoefde te doen, was op de knop te drukken. Als de man kwam opdagen. En dat deed hij, dankzij de vriendin van die andere man. Ze had vast van alles uit de kast gehaald om hem naar de locatie te lokken. Dat wist de man. Dat doen zulke vrouwen nu eenmaal. Maar hij ontkende het min of meer voor zichzelf. Dat zei hij tegen me. Hij dacht dat het in haar geval anders was. Misschien had ze dat soort dingen niet gedaan. Of misschien ook wel. De man was er niet helemaal duidelijk over. Maar áls ze het had gedaan, dan was dat vanwege de missie, waarvan hij de leider was. Ze wist dat hij het cruciaal achtte voor de missie. Dus deed ze het. Ze leidde de prins naar de afgesproken plek, en nu zat ik hier te wachten totdat ik op de knop moest drukken, wat trouwens een knop op een mobiele telefoon is. We gebruiken tegenwoordig mobiele telefoons. Ze hebben speciaal een netwerk gebouwd zodat wij dingen op kunnen blazen. Privékapitaal. Providers die klachten in behandeling nemen. Met een radiografische verbinding was klagen geen optie. Als er iets misging, dan haalde je je schouders op en waagde je de volgende dag een nieuwe poging. Maar als nu de verbinding wegvalt, gaat de klant klagen. En flink ook. Misschien ging het om een enorm belangrijke klus. Dus de telefoonmaatschappijen zorgen wel dat de boel werkt. Het enige nadeel is de vertraging. Als je een nummer belt, duurt het even voordat de telefoon overgaat. Er zitten allerlei zendmasten en computers tussen. Allerlei soorten technische infrastructuur. De vertraging kan oplopen tot acht seconden, daarom draaide alles om timing. Ik moest het looptempo van het doelwit inschatten zodat ik de knop acht hele seconden van tevoren kon indrukken. Nadat hij was aangekomen in de auto. En hij was nog niet aangekomen, dus de man had de tijd om te praten, en dat deed hij ook, voornamelijk over de vrouw. Ze woonde bij hem. Natuurlijk niet in de twee weken dat ze bij de prins was, dat was het hele punt van het gesprek, dat eigenlijk eerder een monoloog was waarin hij me ervan probeerde te overtuigen dat hij het allemaal prima vond. En dat zij het prima vond dat hij het prima vond. Het was een mijnenveld. Maar kennelijk vonden ze het allebei prima. Daar probeerde de man me althans van te overtuigen tijdens het wachten. Het wachten zou trouwens uiteindelijk een uur duren. Een vol uur. We waren een uur te vroeg op onze positie. De man was blijkbaar van plan geweest om dat uur te gebruiken om te praten, want hij was degene die het schema had opgesteld en hij was ook degene die aan het praten was. Over de vrouw. De vrouw was een engel. Dat geloofde ik graag, want deze man was onuitstaanbaar. Maar hij vertelde me over wat ze allemaal samen deden en ik kon niet anders dan geloven dat ze al een paar jaar gelukkig waren samen. Ze deden niet per se dingen meer die bij een prille relatie horen, maar ook nog geen dingen die bij een heel lange relatie horen. Ze deden normale, vrolijke en misschien nog een beetje experimentele dingen, zoals sommige stellen lange tijd volhouden. Ik was overtuigd. Het was een overtuigend verhaal. Op dat moment geloofde ik dat het waar was. En dat was natuurlijk ook zo. Dat zagen veel mensen uiteindelijk. Maar het was al veel eerder duidelijk. Ik geloofde de man. Hij stuurde het meisje naar de prins. Ze hadden vlak ervoor een heerlijk weekend samen gehad. Ze vonden het allebei prima. Hij vond het prima, en zij vond het ook prima. Dus ze zetten door. Maandagochtend vertrok ze. En toen hadden ze een streep moeten trekken. Hij was de leider, zij een vrouw in het veld, ze zouden geen contact meer met elkaar mogen hebben. Geen enkel contact. Organisatorisch was hij haar nu kwijt. Ze was weg. En ze kwam misschien niet meer terug. Want sommige vrouwen komen niet terug. Er vallen weleens dodelijke slachtoffers. Vandaar de protocollen. Geen persoonlijke betrokkenheid. Tot dat moment hadden ze het gefaket, maar nu moesten ze het echt doen. En dat deden ze niet. Ze spraken stiekem af. Wat echt een enorme professionele misser was. Het kon alles verknallen, voor altijd. Het zou een dubbele ramp betekenen: haar rol was niet langer te ontkennen, en zijn dekmantel was weg. Maar toch deden ze het. En niet één keer. Ze spraken vijf keer af. In twee weken. Vijf van de veertien dagen. Dat is een behoorlijk percentage. Niet veel minder dan de helft. Ze was dus geruime tijd niet bezig met haar missie. Maar ze presteerde uitmuntend. Ze klaarde de klus in twee weken, waarvan ze de helft doorbracht met haar eigenlijke vriend. Die me nu over deze afspraakjes vertelde. Wat opnieuw een grove schending van de regels was. Ik bedoel, hoe wist hij wie ik was? Hij had om mijn ID moeten vragen. Maar dat deed hij niet, waaruit ik afleidde dat hij me als een onbeduidende pion beschouwde. Wat ironisch was, want ik was hetzelfde als hij. Ik was letterlijk hetzelfde als hij: ik was ook een overheidsagent. In elk opzicht zijn gelijke. Alleen had ik geen vriendin. Hij was degene met de vriendin. En hij was met haar blijven afspreken. De eerste keer was de vrouw nog in orde. Ze had de prins pas net ontmoet. Ze zaten nog in de formele fase. De tweede keer ging het wat minder met haar. Ze waren de formele fase voorbij. Vierentwintig armzalige uurtjes en de prins was al verder gegaan. Dat was volkomen duidelijk. Maar het draaide hier om nationale veiligheid. Van de hoogste soort. Door iemand in India op te blazen, kon je veel problemen voorkomen. Misschien redde je de wereld wel. Mensen zoals deze man en zijn vriendin moesten natuurlijk in dit soort dingen geloven. Of misschien geloofden ze al in dit soort dingen voordat ze hierin verzeild raakten. Misschien is het de reden waarom ze voor zulk werk kiezen. Omdat ze in bepaalde dingen geloven. Ze geloven dat er iets groters bestaat dan zijzelf. Daarom ging de vrouw ook na dat tweede afspraakje terug naar de prins. We kunnen wel raden wat ze toen deed, want op het derde afspraakje met haar vriend was ze er slecht aan toe. De prins sloeg haar niet. Het probleem was niet lichamelijk. De prins deed misschien helemaal niets. Misschien was hij totaal naïef en onervaren. Misschien stelde hij weinig eisen. Alles was mogelijk. Maar ze moest op een zeer onderdanige manier aan zijn verlangens voldoen. Wat die ook waren. Ze moest glimlachen en voor hem buigen alsof ze de gelukkigste vrouw van de wereld was. Wat mentaal zwaar was. Ze vond het vreselijk. Maar ze ging terug naar de prins. Ze was vastbesloten de missie te voltooien. Zo'n vrouw was ze. Waardoor de leider natuurlijk in een cirkel bleef redeneren: hij kon de vrouw van wie hij hield niet tegenhouden, want als hij dat kon, zou hij niet van haar houden. Ze had er vast op aangedrongen om te mogen gaan. Hij had er vast op aangedrongen dat ze moest gaan. Nationale veiligheid was van het grootste belang. Dat geloofden deze mensen. Ze moesten wel. Dus ze ging. En ze bleef gaan. Bij het vierde afspraakje leek ze wat sterker. En bij het vijfde nog sterker. Ze had nu de controle. Het lukte haar. Ze was als een bokser die net de titel heeft gewonnen. Natuurlijk heeft zo'n bokser pijn, maar het is vol te houden. Zo was zij ook. Ze zou hem naar de afgesproken plek leiden. Ze was de onbetwiste kampioen van de wereld. Haar taak zat er bijna op. Ze zou naar huis gaan. Maar de bokser heeft misschien meer pijn dan hij laat merken. Misschien gold dat ook voor haar. Misschien is ze moe, maar ze is nu zo dichtbij. Dus ze speelt een beetje toneel tegen je. Ze doet alsof ze het prima vindt om terug te gaan, en gaat dus terug. Maar bij toneelspelen hoort overdrijven. Ze zal hem naar de afgesproken plek lokken, maar het zal niet makkelijk zijn. Niet zo makkelijk als ze doet voorkomen. Ze zal hem moeten overhalen. Maar daar zegt ze tegen jou niets over. Omdat ze overdrijft. Ze doet het mooier voorkomen dan het is. Ze heeft de controle, maar niet volledig. En ze verbergt het, dus je weet het niet. En dan zie je van kilometers afstand de stofwolk, en je wacht, en dan komt de Mercedes om de bocht, de laatste honderd meter. Het is een dure auto, maar hij is stoffig, en hij komt precies op de juiste plek tot stilstand en de prins stapt van de achterbank. En die eikel laat het portier wagenwijd openstaan en loopt gewoon weg alsof hij de koning van de wereld is, en ik ben hem al aan het timen. Hij heeft zo'n fitboyloopje dat eigenlijk langzamer gaat dan je zou denken, maar ik heb het in de gaten en weet precies wanneer ik op de knop ga drukken. Dan stapt ook de vrouw uit de auto, alsof ze haar handtas in de auto had laten vallen of iets dergelijks en nog even bezig was, en dat is volgens mij precies wat er aan de hand was, want haar lichaamstaal is een beetje verontschuldigend en ze heeft zo'n blik van 'wat ben ik toch onhandig'. Dan loopt ze op een drafje naar de prins toe en pakt hem op een soort liefdevolle manier bij zijn arm. Haast op een opgewonden manier, eerlijk gezegd, en je realiseert je dat ze de prins naar het huis heeft gelokt door hem iets speciaals te beloven. In een van de kamers, misschien. Misschien iets wat hij nog nooit heeft gedaan. Ze giechelen als schoolkinderen. Ze lopen door. Ze zijn nu op de plek waar je op de knop moet drukken. Maar het goedkeuringsproces is inmiddels ernstig in de war. De man en ik zijn nog steeds druk aan het praten. Maar we weten één ding zeker: nationale veiligheid is van het grootste belang. Belangrijker dan wijzelf. Daar geloven we in. Ik moet wel. Dus ik druk op de knop. De timing is perfect. Geen reden waarom dat niet zo zou zijn. Ik had het volste vertrouwen in mijn inschatting van tempo en richting. Acht seconden. Ze zijn precies ter hoogte van de muur als die de lucht in gaat. Allebei weg. Einde romantisch verhaal.

Mijn eerste drugszaak

Was het verstandig om een wietpijp te roken voordat ik naar de rechtbank ging? Waarschijnlijk niet. De tenlastelegging was het bezit van een grote hoeveelheid drugs, en eerste indrukken zijn belangrijk; een rechtbank is een theater waarin alle ogen op de twee hoofdpersonen zijn gericht, namelijk op de rechter – uiteraard – maar vooral op de verdachte. Was het verstandig?

Waarschijnlijk niet.

Maar wat voor keus had ik? Natuurlijk had ik de avond ervoor ook geblowd. Stevig geblowd, eerlijk gezegd. Omdat ik nerveus was. Ik kon anders niet slapen. Niet dat ik het probeerde, dat doe ik al twintig jaar niet meer. Het was een gewoonte. Ik viel in een diepe, stonede slaap en toen ik wakker werd, voelde ik me normaal. Ik zag er normaal uit en ik gedroeg me normaal, dat weet ik zeker. Aan het ontbijt had mijn vrouw geen commentaar, ze zei alleen: 'Doe wat Visine in je ogen, schat.' Maar ze zei het niet op een bezorgde toon.

Meer zoals ze me advies zou geven over welke stropdas ik moest dragen. En dat advies nam ik graag aan. Het was immers een grote dag.

Dus ik schoor me, deed de druppels in mijn ogen en douchte, wat op die dag extra symbolisch voelde. Haast transformerend. Het was alsof er een vettig laagje dat alleen ik kon zien uit mijn haar en van mijn huid spoelde. Het stroomde weg door het putje en ik was weer fris en schoon. Een nieuwe man. Een onschuldige man. Ik bleef nog een minuutje onder de warme stralen staan en besloot voor de miljoenste keer om misschien te stoppen. Wiet is niet verslavend. Niet fysiek, althans. Stoppen was mogelijk. Ik wist dat ik het moest doen.

Dat gevoel beklijfde totdat ik klaar was met het kammen van mijn haar. Het badkamerlicht was koud en somber. De grauwheid van de dag vloog me aan. Het probleem is: als je in het Ritz hebt gelogeerd, dan wil je niet meer terug naar de Holiday Inn.

Ik had nog een uur over. Rechtszaken beginnen nooit vroeg. Ik was van plan om nog wat punten door te nemen. Je kunt niet van advocaten verwachten dat ze alles opmerken. Je moet je verantwoordelijkheid nemen. Dus ik ging naar mijn studeerkamer. Er lag een wietpijp op het bureau. Er zat vooral as in, en een paar onverbrande kruimels.

Ik sloeg het eerste dossier open. Ze hadden me uiteraard overal kopieën van verstrekt. Van al de stukken uit het vooronderzoek. De pleitstukken, de verklaringen en de informatie van de getuigen. De feiten waren me al bekend. En objectief gezien zag het er niet goed uit. Een gelikte tv-verslaggever zou zeggen: *het ziet er niet fraai uit voor de verdachte*. Maar er waren zwakke punten. Ergens. Dat moest wel.

Wat gaat er ooit precies volgens plan?

De achtergebleven kruimels waren dik en rond. In mijn bureaula lag een aansteker. Dat wist ik. Een geel plastic ding van een benzinestation. Ik kon me niet goed concentreren. Niet goed genoeg. Niet op de manier die nodig was. Ik had de speciale focus nodig die ik zo goed kende. En die was binnen handbereik.

Het was onverantwoordelijk om high te zijn tijdens mijn eerste drugszaak.

Maar het was ook onverantwoordelijk om me erop voor te bereiden terwijl ik niet op mijn best was.

Toch?

Ik hield de kruimels met mijn pinknagel op hun plek en klopte wat as uit de pijp. Ik knipte de aansteker aan. De rook smaakte droog en muf. Ik hield de rook even vast, wachtte even, wachtte nog wat langer en toen kwam de roes. Een minuscuul roesje. Ik voelde de kleine zinderingen, eerst in mijn borstkas, bij mijn longen. Ik voelde elke cel in mijn lichaam trillen en opzwellen. Ik voelde het licht aangaan, mijn hoofd werd helder.

Achtergebleven kruimels. Niets mag verspild worden. Dat zou misdadig zijn.

De tv-verslaggevers zouden zeggen dat het labrapport van de in beslag genomen middelen de zwakke plek in de zaak van de openbaar aanklager was. Maar 'zwakke plek' is een relatief begrip. Ze zouden een veroordeling verwachten.

Ze zouden zeggen dat de zwakke plek in de zaak van de verdediging eigenlijk alles was.

Er was geen reden om verder te lezen in de stukken.

Het was een uitgemaakte zaak.

De rest van het uur had ik niets te doen.

Ik legde de pijp terug op het bureau. Er lagen paperclips in een lade. In de kast achter me stond een porseleinen pot met het woord *Stash* erop. Mijn broer had hem voor me gekocht. Voor de grap, denk ik. Er zat een zakje Long Island-wiet in. Gekweekt uit Amsterdamse zaden, op een verlaten aardappelveld dat dicht genoeg bij een paar landhuizen in The Hamptons lag om de politiehelikopters op afstand te houden. Rijkelui houden niet van lawaai, tenzij ze het zelf maken.

Ik pakte een paperclip uit de lade, boog hem recht en begon de pijp ermee schoon te maken. Een huishoudelijk taakje, zoals het inruimen van de vaatwasser. Je moet de kleine taken goed bijhouden. Op een tissue maakte ik een kegelvormig hoopje van as en koolstof, waarna ik de tissue verfrommelde en in de prullenbak gooide. Ik blies door de pijp, hard, als een pygmeeënstrijder in de jungle. De laatste verpulverde restjes vlogen eruit, bleven even in de lucht hangen en dwarrelden omlaag.

Schoon.

Klaar voor gebruik.

Later, natuurlijk. Want op dat moment deden de oude onverbrande kruimels hun werk. Ik zweefde een paar centimeter boven de grond en voelde me goed. Nu nog wel. Over een uur zou ik terug op aarde landen. Goede timing. Ik zou met heldere ogen en een rechte rug verschijnen, klaar voor wat de dag voor me in petto had.

Maar het zou een lange dag worden. Zonder twijfel. Een lange, zware, stressvolle dag, zonder hulp, zonder compensatie. En daar viel niets aan te doen. Zelfs ik was niet zo dom om op een proces wegens drugsbezit te verschijnen met een zakje wiet in mijn zak. Er was trouwens nergens meer een plek waar je kon roken. Die waren er niet meer in openbare gebouwen. Onderdeel van de verschraling van de samenleving. Geen tolerantie meer, geen gerief. Geen plezier.

Ik draaide mijn stoel om en rolde naar de kast met de pot. Gewoon om even te kijken. Om mezelf eraan te herinneren dat na een dag in de Holiday Inn het Ritz op me zou wachten. Ik haalde de deksel eraf, pakte het zakje eruit en schudde de vouwen uit het plastic. De inhoud was matgroen, wat bruinig, droog en een beetje bros. Het zou gemakkelijk branden. In mijn ervaring maakt dat de smaak iets scherper, maar het effect sneller. En timing was cruciaal.

Ik besloot de pijp alvast te vullen. Zodat hij al klaarlag voor straks. Dan kon ik meteen beginnen. Deur dicht, aansteker aan, opluchting. Timing was alles. Ik verkruimelde de toppen, stopte die in de pijp en drukte ze aan. Ik legde de pijp op het bureau en likte mijn vingers af.

Timing was cruciaal. Toegegeven, ik hoorde niet high te zijn in de rechtszaal. Dat begrijp ik. Maar wat zouden de mensen ervan merken? Mijn rol was beperkt. In elk geval op de eerste dag. Mensen zouden af en toe naar me kijken, maar dat was alles. Tuurlijk, het was beter om het zekere voor het onzekere te nemen. Maar ik maakte me zorgen om de tussentijd. Voordat ik in het centrum van de stad was, zouden de niet-verbrande kruimels allang uitgewerkt zijn. En dat was inefficiënt. Waarom zou je twintig minuten langer lijden dan nodig?

Ik pakte de aansteker. Niemand in de hele wereld weet beter dan ik hoe goede wiet brandt. De vlam likt over de bovenste laag, die wordt bruin en zwart, je inhaleert en houdt je adem in, dan vasthouden en nog wat langer vasthouden, de wiet gaat uit, je houdt de rook nog steeds binnen, en dan blaas je die uit en is het effect daar. Daarna heb je nog negentig procent in de pijp over, onaangeroerd, slechts licht geschroeid. Misschien wel vijfennegentig procent. Het is amper blowen te noemen. Gewoon even met de brandende aansteker eroverheen. Slechts een gebaar.

En zonder dat gebaar zou ik twintig minuten langer lijden dan nodig.

Wat moet je dan doen?

Ik hield de brandende aansteker voor de pijp. Ik zoog de rook diep in mijn longen, scherp, heet en troostend.

Mijn vrouw kwam de kamer binnen.

'Jezus,' zei ze. 'Uitgerekend vandaag?'

Het was dus haar schuld, in wezen. Ik blies de rook te snel uit. Ik bereikte niet het volledige effect. 'Het stelt niets voor,' zei ik.

'Je bent verslaafd.'

'Het is niet verslavend.'

'Emotioneel wel,' zei ze. 'Mentaal.'

Echt een vrouwenopmerking, vond ik. Als een man een steentje in zijn schoen heeft, haalt hij dat er toch uit? Wie blijft er de hele dag met een steentje in zijn schoen rondlopen? 'Het komende uur hoef ik nog helemaal niets te doen.'

'Je kunt daar niet in slaap vallen. Je kunt daar niet zitten spacen. Dat begrijp je toch zelf ook wel? Zeg alsjeblieft dat je dat begrijpt.'

'Het stelde niets voor,' zei ik.

'Je kunt niet zo doorgaan,' zei ze. 'We hebben het juist zo goed. We mogen niet alles verliezen.'

'We hebben het inderdaad goed. We hebben het altijd goed gehad. Dus maak je geen zorgen.'

'Uitgerekend vandaag,' herhaalde ze.

'Het stelde niets voor,' herhaalde ik. Ik hield de pijp op. 'Kijk zelf maar.'

Ze keek. Precies zoals verwacht: de bovenste laag een beetje verbrand, de rest onaangeraakt maar licht geschroeid. Er was nog vijfennegentig procent over. Een hap frisse lucht. Amper blowen te noemen.

'Laat het hierbij, oké?' zei ze.

En dat zou ik absoluut hebben gedaan, als ze niet dat eerste kostbare moment had verpest. Ik wilde het precies goed timen. Dat was het. Niet meer en niet minder. Ik wilde nuchter zijn als die dikke vent in uniform riep: 'De rechtbank!' Maar niet daarvoor. Dat had geen zin. Geen enkele zin.

Mijn vrouw bleef me even aankijken en ging toen de kamer weer uit. De dienstauto zou over ongeveer twintig minuten komen. De rit naar het centrum zou ook twintig minuten duren. Bovendien zouden we nog twintig minuten rondhangen voordat we aan het werk zouden gaan. Bij elkaar een uur. Een goede, ononderbroken hijs zou me erdoorheen hebben gesleept. Daar was ik zeker van. Dus nog één hijs zou voldoende zijn. Misschien een iets kleinere hijs, omdat er al een beetje tijd verstreken was. Of misschien juist een iets diepere hijs, om de verstoring te compenseren. Ik was uit balans gebracht. Vaste rituelen zijn belangrijk, en een verstoring kan onevenredig veel impact hebben.

Ik knipte de aansteker aan. De gele aansteker. Een gele vlam, heet, zuiver en stabiel. Het probleem is dat de wiet de tweede keer beter brandt. Alsof de onderste, al een beetje geschroeide lagen, erop wachten om aangestoken te worden. Nu ze hun lot kennen zijn ze bereid om mee te werken. De rook kringelde op en ik moest diep inhaleren om niets te verspillen. De tweede keer dooft de wiet minder snel. Die blijft gloeien, dus er is een tweede hijs nodig. Verspilling is zonde.

Vervolgens een derde hijs.

Op dat moment wist ik dat ik het juiste had gedaan. Ik zou de ochtend goed doorkomen. Ik had het voor elkaar. Ik zou niet slaperig worden. Ik zou niet zitten te spacen. Ik was helder, alert, energiek, zag de dingen hoe ze waren, stond overal voor open, magisch.

Ik nam een vierde hijs, waarvoor ik de aansteker weer nodig had. De rook was grijs en dik en gaf onmiddellijke bevrediging. Ik voelde mijn haarwortels groeien. De haarzakjes zinderden van microscopische activiteit. Ik hoorde mijn buren zich klaarmaken om naar hun werk te gaan. Zuivere, absolute helderheid. Mijn ruggengraat voelde als staal, warm, recht en onbuigzaam, ik voelde de hersensignalen door het mysterieuze buisvormige binnenste ervan op en neer gieren, snel, precies, logisch, doelgericht.

Ik functioneerde prima.

Helemaal prima.

Een vierde hijs, en een vijfde. Er zat veel wiet in de pijp. Ik had het tamelijk stevig aangedrukt. Als traktatie voor wanneer ik straks thuiskwam, weet je nog? Dat was de bedoeling geweest. Niet als ochtendritueel. Maar het was er nu eenmaal.

Dus rookte ik het.

In de auto voelde ik me goed. Hoe kon het ook anders? Ik kon de hele wereld aan. Met gemak. Het verkeer leek voor me te wijken, alle stoplichten stonden op groen. Je doet wat nodig is. Een man moet zichzelf altijd tot het uiterste pushen. Anders doet hij zichzelf tekort. Hij is het zichzelf en de wereld verschuldigd om de beste versie van zichzelf te zijn, en hoe hij dat doet, is zijn eigen zaak.

Ze leidden me door een achterdeur naar binnen, want de openbare hal was een pandemonium. Mijn schoenen tikten op de tegels, snel, ritmisch en dwingend. Ik rechtte mijn rug, trok mijn schouders naar achteren. Ze lieten me even wachten in een kamer. Ik kon het publiek door de deur heen horen. Een laag, gespannen geroezemoes. Ze wachtten allemaal op mijn entree.

Honderden ogen, wachtend om zich naar mij toe te draaien.

'Het is zover,' zei iemand.

Ik duwde de deur open die midden in de rechtszaal uitkwam. Ik zag de advocaten, het publiek en de jury. De verdachte zat aan zijn tafel. De dikke vent in uniform riep: 'De rechtbank!'

Nat van de regen

Great Victoria Street

Geboorten en overlijdens zijn opgenomen in openbare registers. Volkstellingen, huurregisters en oude hypotheekinformatie zijn doorzoekbaar. Net als aanvragen voor staatsburgerschap uit alle andere Engelssprekende landen. Er zijn talloze genealogiewebsites op internet. Deze factoren werkten allemaal in ons voordeel.

Wat ons tegenzat, was een historisch feit. De straat was in de jaren 1960 gebouwd. Vijftig jaar geleden, grofweg. Binnen het 'levende geheugen'. De meeste oorspronkelijke bewoners waren overleden, maar er konden familieleden bestaan die op bezoek waren geweest en die het zich misschien herinnerden. Kinderen en kleinkinderen, mensen die de verhalen hadden gehoord en daarom mogelijk een probleem vormden.

Maar over het algemeen mochten we onszelf gelukkig prijzen. De eerste eigenaren van het huis waren allang dood en hadden geen kinderen. De man had broers en zussen die nog leefden, maar die waren allemaal naar Australië of Canada vertrokken. De vrouw had een zus die nog steeds in de buurt woonde, maar die was al in de tachtig en werd dus als een onbetrouwbare bron beschouwd.

Na het oorspronkelijke echtpaar had het huis vijf eigenaren gehad, de meeste ervan in de meer recente jaren. We vonden dat er genoeg tijd tussen zat. We kozen voor de derde variant van het tweede plan. Hairl Carter ging met me mee. Hairl Carter II, om precies te zijn. Zijn vader had dezelfde naam. Ze kwamen uit het zuidoosten van Missouri. De moeder van zijn vader had haar eerstgeborene Harold willen noemen, maar ze was niet verder gekomen dan de derde klas van de lagere school en kon alleen fonetisch spellen. Dus het werd Harold, maar dan fonetisch gespeld. De oude vrouw heeft nooit geweten dat het raar was. We noemden haar kleinzoon Harry, wat ze misschien niet leuk had gevonden.

Harry deed het papierwerk, wat een fluitje van een cent was, want we maakten kopieën van kopieën, zodat fouten minder opvielen. Op naam van de vereniging opende ik een rekening bij een bank in Washington DC, stortte er een half miljoen dollar op, en vervolgens kregen we creditcards en een chequeboekje. Toen gingen we oefenen. We bereidden het voor als een politiek debat. Hetzelfde gesprek, steeds opnieuw, alle mogelijke wegen en zijpaden. We vonden zwakke plekken, maar we hadden geen andere keuze dan gewoon door te gaan. We dachten dat we ze met een flinke dosis brutaliteit naar onze hand konden zetten.

We vlogen eerst naar Londen, toen naar Dublin in het zuiden

en vervolgens naar Belfast. De tickets kostten minder dan een kop koffie thuis. We namen een taxi naar het Europa Hotel, want dat was volgens ons een plek waar mensen zoals wij hun intrek zouden nemen We regelden een auto bij de man achter de balie. Daarna gingen we naar bed. We waren van plan om de volgende dag halverwege de ochtend tot actie over te gaan.

De auto was een keurige Mercedes en de chauffeur gaf geen krimp toen we het adres noemden. Het was het voorlaatste huis in een kort rijtje sjofele huizen die karakterloos en goedkoop waren gebouwd, met grote delen afbladderend wit beschot, waarschijnlijk om geld op bakstenen te besparen. De betonnen dakpannen waren begroeid met mos. In de verte strekten de heuvels zich uit als fluweel, onwaarschijnlijk groen, maar om ons heen was de bebouwing grauw en grijs. Er viel een fijne, koude motregen, de straat en de stoep waren glanzend grijs.

De auto bleef langs de stoep op ons wachten. We duwden een kapot tuinhekje open en liepen over een paadje naar de voordeur. Carter belde aan en de deur ging meteen open. De Mercedes was niet onopgemerkt gebleven. Een vrouw keek ons aan. Ze was stevig gebouwd en had een bleek, vlezig gezicht. 'Wie bent u?'

'We komen uit Amerika,' zei ik.

'Uit Amerika?'

'We zijn hier speciaal voor u naartoe gekomen.'

'Hoezo?'

'U bent toch mevrouw Healy?' vroeg ik, ook al wist ik dat het zo was. Ik wist alles over haar. Ik wist waar ze geboren was, hoe oud ze was en hoeveel haar man verdiende. Wat niet veel was. Ze liepen met vrijwel alle rekeningen een maand achter. Ik hoopte dat dat in ons voordeel zou werken.

'Ja, ik ben mevrouw Healy,' zei de vrouw.

'Ik ben John Pacino en mijn collega hier is Harry Carter.'

'Goedemorgen, heren.'

'U woont in een interessant huis, mevrouw Healy.'

Ze keek ons niet-begrijpend aan, stak haar hoofd naar buiten en bekeek de voorkant van haar huis. 'Is dat zo?'

'Voor ons wel, in elk geval.'

'Hoezo?'

'Dat willen we u graag vertellen.'

'Wilt u een kopje thee?'

'Dat zou heerlijk zijn.'

We gingen naar binnen, eerst Carter, daarna ik, met een gevoel van voorlopige triomf, alsof onze eerste slagman het honk had bereikt. Geen garanties, maar tot nu toe ging het goed. Binnen rook het naar het dagelijks leven en gesloten ramen. Een kenner had de ingrediënten van hun laatste acht maaltijden kunnen opsommen. Er werd hier óf gekookt, óf gefrituurd, gokte ik.

Het was niet het soort huishouden waar bezoekers naar de zitkamer werden gedirigeerd om te wachten. We liepen met de vrouw mee naar de keuken, waar wasgoed aan een rek te drogen hing. Ze vulde de waterketel en zette die op het fornuis. 'Vertel eens wat er zo interessant is aan mijn huis.'

'Er is een schrijver die we erg bewonderen, hij heet Edmund Wall.'

'Hier?'

'In Amerika.'

'Een schrijver?'

'Een romanschrijver. Een heel goede.'

'Nooit van gehoord. Maar ik lees ook niet veel.'

'Kijk,' zei Carter, waarna hij de kopieën uit zijn zak haalde en ze op het aanrecht gladstreek. Het waren prints van nep-Wikipedia-pagina's. Die zijn lastiger om te maken dan je zou denken. (Wikipedia ziet er in print anders uit dan op het computerscherm.)

'Is hij beroemd?' vroeg mevrouw Healy.

'Niet echt,' zei ik. 'Schrijvers worden nooit zo beroemd. Maar hij heeft een erg goede naam. Onder mensen die van zijn werk houden. Er bestaat een vereniging van zijn fans. Daarom zijn we hier. Ik ben de voorzitter en meneer Carter is de secretaris.'

Mevrouw Healy verstrakte, alsof ze dacht dat we haar een lidmaatschap zouden proberen aan te smeren. 'Het spijt me, maar ik ben niet geïnteresseerd. Ik ken hem niet.'

'Dat is ook niet wat we u willen vragen.'

'Wat dan wel?'

'Voor u woonden de Robinsons in dit huis, toch?'

'Ja,' zei ze.

'En daarvoor de Donnelly's, en weer daarvoor de McLaughlins.'

De vrouw knikte. 'Ze kregen allemaal kanker. De een na de ander. Mensen zeiden dat dit huis ongeluk bracht.'

Ik trok een bezorgd gezicht. 'Hield dat u niet tegen? Om het huis te kopen?'

'In mijn geloof bestaat geen ruimte voor bijgeloof.'

Dat was een cirkelredenering waar je hoofd van zou ontploffen. Even stond ik met mijn mond vol tanden. Carter nam het woord.

'En vóór de McLaughlins woonden de McCanns hier, en helemaal in het begin de McKenna's.'

'Dat was voor mijn tijd,' zei de vrouw ongeïnteresseerd, en ik voelde dat de loper het tweede honk had gestolen. Scoringspositie.

'Edmund Wall is in dit huis geboren,' zei ik.

'Wie?'

'Edmund Wall. Die schrijver uit Amerika.'

'Er heeft hier nooit iemand met de naam Wall gewoond.'

'Zijn moeder was een goede vriendin van mevrouw McKenna. Helemaal in het begin. Ze was op bezoek uit Amerika. Ze dacht dat ze pas over een maand moest bevallen, maar de baby kwam te vroeg.'

'Wanneer was dat?'

'In de jaren zestig.'

'In dit huis?'

'In de slaapkamer boven. Er was geen tijd om naar het ziekenhuis te gaan.'

'Een baby?'

'De toekomstige Edmund Wall.'

'Nooit iets over gehoord. Mevrouw McKenna heeft een zus. Ze heeft dit nooit verteld.'

Het voelde alsof de loper werd gecheckt op het honk. 'Kent u de zus van mevrouw McKenna?'

'We maken af en toe een praatje. Ik zie haar weleens bij de kapper.'

'Het is vijftig jaar geleden. Hoe is het met haar geheugen gesteld?'

'Zoiets vergeet je niet.'

'Misschien werd er niet over gepraat. Het is mogelijk dat Edmunds moeder ongetrouwd was,' zei Carter.

Mevrouw Healy trok wit weg. Zonde. Schandaal. In haar huis. Erger dan kanker. 'Waarom vertelt u me dit?'

'De Edmund Wall-vereniging wil uw huis kopen.'

'Mijn huis kopen?'

'Om er een museum van te maken. Een levend museum, eigenlijk. Voor mensen die zijn geboortehuis willen bezoeken, maar we zouden hier ook zijn archief kunnen bewaren. Het zou een centrum voor onderzoek kunnen worden.'

'Doen mensen dat?'

'Wat? Onderzoek?'

'Nee, huizen bezoeken waar schrijvers geboren zijn.'

'Jazeker. Veel huizen van schrijvers zijn omgebouwd tot een museum. Of een toeristische attractie. We kunnen u een heel royaal aanbod doen. Edmund Wall heeft veel fanatieke bewonderaars in Amerika.'

'Wat verstaat u onder royaal?'

'Als u uitzoekt waar u zou willen wonen, dan zorgen wij dat dat mogelijk is. Binnen de grenzen van redelijkheid, uiteraard. Misschien een nieuwbouwhuis. Er wordt overal gebouwd.' Toen deed ik er het zwijgen toe en liet ik de verlokking zijn magische werk doen. Mevrouw Healy werd stil. Ze keek om zich heen door de keuken. Afgebladderde keukenkastjes, scheve scharnieren, vochtige lucht.

De ketel begon te fluiten.

'Ik moet het eerst met mijn man bespreken,' zei ze.

Het voelde alsof de loper het derde honk bereikte vóór de aangooi. Veilig. Dertig meter verder. Geen garanties, maar tot nu toe ging het goed.

Verdomd goed, zoals ze zeggen op die kleine druilerige eilanden. Op de terugweg in de Mercedes verkeerden we in opperbeste stemming.

Het probleem wachtte op ons in de lobby van het Europa Hotel. Een man uit Ulster van een jaar of vijftig in een goedkoop pak. Hij had dikke wallen onder zijn ogen en gehavende handen die onder de littekens zaten. Een voormalige straatagent, ongetwijfeld, die na vele jaren in het zadel vanwege zijn leeftijd naar een bureau was verplaatst. Ik kende het type. Het was alsof ik in de spiegel keek.

'Kan ik jullie even spreken?' vroeg hij.

We liepen naar de bar, die somber en verlaten was voordat de drukte van de lunch zich zou aandienen. De man stelde zich voor als politieagent, afkomstig uit Belfast zelf, van een eenheid die hij niet nader specificeerde, maar waarvan ik vermoedde dat het de Special Branch was, de harde kern van de oude Royal Ulster Constabulary, nu de Police Service of Northern Ireland. Een soort FBI, maar dan zonder fluwelen handschoenen.

'Zouden jullie me willen vertellen wie jullie zijn en wat jullie hier doen?' vroeg de agent.

Carter draaide het verhaal af over Edmund Wall, over de vereniging van bewonderaars en zijn geboortehuis. Maar wat eerder op de ochtend nog overtuigend had geklonken, klonk dat niet per se in het nuchtere middaglicht. Terwijl Carter aan het woord was, controleerde de man dingen op zijn telefoon. Vervolgens zei hij: 'Je verhaal rammelt op vier punten. Edmund Wall bestaat niet, de vereniging van bewonderaars bestaat niet, jullie hebben een bankrekening geopend in een filiaal in de buurt van Langley, het hoofdkwartier van de CIA, en bovendien is het huis waar je het over hebt van Gerald McCann geweest, ooit een beruchte paramilitair.'

Carter zei niets, en ik ook niet.

'Vergeet niet dat Noord-Ierland deel uitmaakt van het Verenigd Koninkrijk,' ging de man verder. 'Zij staan geen onaangekondigde activiteiten op hun grondgebied toe. Dus nogmaals: vertel eens wie jullie zijn en wat jullie hier komen doen.'

'Zou je geïnteresseerd zijn in een deal?'

'Wat voor deal?'

'Wil je een vriend op een hoge positie kopen?'

'Hoe hoog?'

'Heel hoog.'

'Waar?'

'Op een plek die nuttig is voor jouw regering.'

'Voorwaarden?'

'Je laat ons deze klus afmaken.'

'Wie wordt er omgelegd?'

'Niemand. De Healy's krijgen een nieuw huis. Dat is alles.'

'En wat krijgen jullie?'

'Wij krijgen betaald. Maar je nieuwe vriend op die heel hoge positie, krijgt gemoedsrust. Hij zal je zeer dankbaar zijn, daar ben ik zeker van.'

'Leg uit.'

'Eerst wil ik zeker weten dat we elkaar goed begrijpen. Dit is geen situatie waarin je allerlei telefoontjes gaat plegen en allerlei mensen gaat inseinen. Dit is een situatie waarbij je ons ons werk laat doen, en als we weg zijn, bazuin je rond dat je een nieuwe vriend hebt. Of niet. Misschien wil je dat contact achter de hand houden.'

'Hoeveel wetten ga je overtreden?'

'Geen enkele. We gaan een huis kopen. Dat gebeurt elke dag.'

'Omdat er zich iets in dat huis bevindt, neem ik aan. Wat heeft Gerald McCann in dat huis achtergelaten?'

'Je moet eerst akkoord gaan met wat ik net zei. Je moet op z'n minst ja knikken. Ik moet je kunnen vertrouwen.'

'Oké, ik ga akkoord,' zei de man. 'Maar ik blijf de hele tijd bij jullie. We zijn nu met zijn drieën. Totdat de klus geklaard is. Elke minuut van de dag. Tot ik jullie uitzwaai op het vliegveld.'

'Ga met ons mee,' zei ik. 'Dan kun je je nieuwe vriend ontmoeten. Al was het alleen maar om hem de hand te schudden. En dan vlieg je weer terug. Of je het nu rondbazuint of niet, dat stelt je misschien gerust.'

Hij trapte erin, zoals ik al had verwacht. Waarom zou hij niet? Veiligheidsdiensten zijn dol op persoonlijke successen. Ze zijn dol op geheime contacten. Ze zijn er dol op om mensen te manipuleren. Ze zijn dol op macht.

'Deal,' zei hij. 'Dus wat is het verhaal?'

'Er was eens een jonge officier in het Amerikaanse leger. Hij was een beetje een heethoofd. Iemand met bepaalde sympathieën. Met een bepaalde taak, in een bepaalde tijd. Hij verkocht verouderde wapens.'

'Aan Gerald McCann?'

Ik knikte. 'Voor zover we weten heeft McCann ze nooit gebruikt. We denken dat hij ze onder de vloer van zijn woonkamer heeft verstopt. Intussen werd onze jonge officier ouder, hij klom op en sloeg een heel andere weg in. Nu wil hij dat het spoor wordt gewist.'

'Willen jullie het huis kopen om de vloer open te breken?'

Ik knikte opnieuw. 'We kunnen moeilijk inbreken om de vloer open te maken. Veel te veel herrie. De vloeren zijn van beton en we zullen drilboren nodig hebben. De buren moeten denken dat we de riolering repareren of zoiets.'

'Zijn de wapens nog traceerbaar?'

'Het gaat om één wapen, enkelvoud, als ik eerlijk ben. En ik bén eerlijk, in een situatie als deze. Het is nog traceerbaar, ja. En uitermate pijnlijk voor onze man als dit aan het licht komt.'

'Geloofde mevrouw Healy dat verhaal over Edmund Wall?'

'Ze geloofde ons verhaal over het geld. We zijn Amerikanen.'

De Special Branch-man zei: 'Een huis kopen kost tijd.'

Het kostte drie weken, met allerlei advocatentoestanden en een bouwtechnisch onderzoek, wat een farce en een schertsvertoning was, want wat kon het ons schelen? Maar het zou verdacht zijn als we ervan af hadden gezien. We werden verondersteld de belangen van de vereniging van bewonderaars naar eer en geweten te behartigen. Dus gaven we opdracht tot het bouwtechnisch onderzoek en lazen het rapport. Dat was behoorlijk negatief. Even was ik bang dat de drilboor het hele huis zou doen instorten.

We bleven die drie weken in Belfast. Normaal gesproken zouden we naar huis zijn gegaan en later weer terug zijn gekomen, maar met de Special Branch-man erbij kon dat natuurlijk niet. We moesten hem elke minuut van de dag in de gaten houden. Dat was niet zo moeilijk, want hij moest ons ook elke minuut van de dag in de gaten houden. We hebben drie weken lang naar elkaar zitten staren en nonsens gelezen over houtrot en optrekkend vocht. Wat dat ook moge zijn. Het regende elke dag.

Maar uiteindelijk hadden de advocaten het voor elkaar en kreeg ik zonder veel poeha een telefoontje dat het huis van ons was. We haalden de sleutel op, reden erheen en liepen met het bouwkundig rapport in onze handen en zorgelijke blikken op onze gezichten door het huis – wat ik beschouwde als voorbereidend werk. De drilboor moest te verklaren zijn. En de buren waren zo nieuwsgierig als de pest. Ze gluurden naar binnen en kwamen zich massaal voorstellen. Ze namen ook de zus van mevrouw McKenna mee, die beweerde dat ze zich de geboorte van de baby herinnerde, waarop haar publiek duidelijk zijn afkeuring liet blijken. Er bleven mensen komen. Daarom wachtten we twee dagen voordat we een drilboor huurden. Dat was beter dan meteen aan de slag te gaan, dachten we. Ik wist hoe het ding werkte. Het was me uitgelegd door de reparatieploeg op het beveiligde personeelsterrein van Langley.

De woonkamervloer was inderdaad van beton, met daarop een soort gietasfalt dekvloer, met daar weer op een tapijt met een schuimrubberen onderlaag die plat en korrelig was van ouderdom. We trokken het tapijt weg en stuitten op een stukje dekvloer dat er anders uitzag dan de rest. Het had ook precies de juiste grootte. Ik glimlachte. Goed werk, Gerald McCann.

'Hoe is het eigenlijk met McCann afgelopen?' vroeg ik.

'Hij is vermoord,' antwoordde de Special Branch-man.

'Door wie?'

'Door ons.'

'Wanneer?'

'In elk geval voordat hij de kans had dit, wat het ook is, te gebruiken.'

Daarna was een gesprek onmogelijk omdat ik de drilboor aanzette. Vanaf dat moment ging het snel. Het beton bevatte veel zand en weinig cement. Het is overal ter wereld hetzelfde. Beton is een smerige handel. Toch was het gat behoorlijk diep. Dieper dan nodig om als veilige tijdelijke opslag te dienen. Het leek eerder een permanente opslag. Maar uiteindelijk bereikten we de bodem en konden we het ding eruit halen.

Het was in dik plastic gewikkeld, maar meteen herkenbaar. Een verstevigde canvas cilinder, olijfgroen, als een klein olievat, met een hele tris riemen en gespen om hem af te sluiten en te kunnen dragen, als een rugzak. Een grote rugzak. Een grote, zware rugzak.

De Special Branch-man werd heel stil en vroeg toen: 'Is dit wat ik denk dat het is?'

'Jazeker.'

'Christus te paard.'

'Maak je geen zorgen. De kernkop is nep. Onze geüniformeerde vriend was niet dom.'

'Een kernkop? Wat is dit?' vroeg Carter.

Ik zei niets.

De Special Branch-man legde uit: 'Het is een SADN. Een W54 in een H-912 transportcontainer.'

'En dat is...?'

'Een draagbaar strategisch atoomwapen. Een W54 raketkop, de lichtste van allemaal, aangepast voor gebruik als explosieve lading. Als je die jongen aan een brugpijler bevestigt, is het alsof je er duizend ton TNT op laat vallen.'

'Is het nucleair?'

'Het weegt zo'n drieëntwintig kilo. Minder dan de koffer die je meeneemt op vakantie. Het komt in de buurt van een nucleaire kofferbom.'

'Het ís een nucleaire kofferbom, het komt er niet alleen bij in de buurt,' zei de Special Branch-man.

'Ik heb er nog nooit van gehoord,' zei Carter.

'Ze zijn ontwikkeld in de jaren vijftig,' zei ik. 'In 1970 waren ze al verouderd. Parachutisten werden getraind om ermee te springen, achter de linies, om energiecentrales en dammen op te blazen.'

'Met kernbommen?'

'Ze hadden mechanische timers. De parachutisten konden misschien nog op tijd wegkomen.'

'Misschien.'

'Het was een harde tijd.'

'Maar deze kernkop is dus nep?'

'Maak maar open en kijk zelf maar.'

'Ik zou het verschil niet zien.'

'Goed punt,' zei ik. 'Gerald McCann blijkbaar ook niet.'

'Ik begrijp wel waarom mijn nieuwe vriend het spoor wil uitwissen,' zei de Special Branch-man. 'Kernwapens verkopen aan buitenlandse paramilitairen? Dat overleeft hij niet, wie hij ook is.'

We stopten het ding in de kofferbak van een huurauto en reden naar een afgelegen deel van Belfast International Airport, naar een terminal die was aangeduid met General Aviation, oftewel: bestemd voor privéjets. We vonden ons vliegtuig, een Gulfstream IV, grijs geschilderd en op een staartnummer na ongemarkeerd. De Special Branch-man keek een beetje jaloers.

'Geleend,' zei ik. 'Meestal wordt hij voor geheime uitleveringsoperaties gebruikt.'

Nu keek hij een beetje bezorgd.

'Ze hebben het bloed er vast uit gespoeld,' zei ik.

We brachten de munitie zelf aan boord, want er was geen extra bemanning beschikbaar om ons te helpen. Er was één piloot en geen steward. Dat was gebruikelijk in de wereld van de illegale uitlevering. Dan valt alles beter te ontkennen. We bedachten dat de munitie ongeveer zo groot was als een dikke man, dus zetten we de cilinder rechtop vast in een eigen stoel. Toen gingen we er alle drie zo ver mogelijk bij vandaan zitten.

Toen we anderhalf uur in de lucht zaten, ging ik naar de wc, en bij terugkomst bracht ik het gesprek weer op illegale uitlevering. 'Deze vliegtuigen zijn aangepast, wist je dat?' zei ik. 'Sommige elektronische vergrendelingen zijn verwijderd. Je kunt bijvoorbeeld de deur openmaken terwijl je laag en langzaam boven het water vliegt. Ze dreigen de gevangene er dan uit te gooien. Om hem murw te maken. Maar soms gooien ze de gevangene er echt uit. Meestal op de vlucht terug naar huis, nadat hij uit de school heeft geklapt. Dat is het makkelijkste. En wij gaan het met de munitie doen. Dat moet wel. Er is geen manier om dat ding te vernietigen voordat we landen, en we kunnen het niet zomaar ineens weer in de VS laten opduiken alsof het net uit het museum is ontsnapt. En dit is de perfecte set-up om te kunnen bewijzen wat we hebben gedaan. Want we zijn met zijn drieën. En we zullen vragen krijgen. Die man wil zekerheid. Ik kan zweren dat ik met eigen ogen heb gezien dat jullie het uit het vliegtuig hebben gegooid, en jullie kunnen zweren dat jullie zagen hoe het in het water viel, en jullie kunnen zweren dat ik toekeek terwijl jullie dat deden. We kunnen elkaars verhaal op drie manieren bevestigen.'

Het klonk logisch, dus gingen we laag en langzaam vliegen en ik maakte de deur open. IJskoude, zoute lucht gierde naar binnen, het vliegtuig schudde en trilde. Ik deed een stap achteruit en de Special Branch-man kwam als eerste van links naar rechts slingerend door het gangpad aangelopen, met een riem van de transportcontainer in zijn gehavende en met littekens bedekte linkerhand. Achter hem aan kwam de munitie, zwaar deinend als een dikke vent in een hangmat, en als laatste kwam Carter zijwaarts naar voren geschuifeld, een riem in zijn rechterhand.

Ze gingen naast elkaar staan, zij aan zij bij de open deur, met hun ruggen naar me toe, allebei met een onderarm tegen de vliegtuigwand gedrukt om hun evenwicht te bewaren, terwijl de munitie tussen hen heen en weer slingerde en tegen de vloer stootte.

'Ik tel tot drie,' zei ik. Toen ik begon te tellen tilden ze de cilinder hoog op, zwaaiden hem naar voren en op drie lieten ze de canvas riemen los. De cilinder zeilde de lucht in en werd meteen weggeslagen door de slipstream. Ze stonden nog steeds met hun onderarmen tegen de wand geleund, een beetje gebogen om naar beneden te kunnen kijken, wachtend op de plons, toen ik het pistool dat ik uit het wc-hokje had gehaald pakte en de Special Branch-man in zijn onderrug schoot, niet uit sadisme, maar om eenvoudige ballistische redenen. Als de kogel dwars door hem heen ging, wilde ik dat die in het niets zou verdwijnen en niet de vliegtuigromp zou raken.

Ik denk niet dat de kogel fataal was. Maar de klap kwam wel hard aan. Hij werd helemaal slap, vond geen steun meer bij zijn onderarm, viel half uit de deur en werd de leegte ingezogen. Er was geen geluid. Alleen zijn lichaam dat rondtolde toen hij door de luchtstromen werd gegrepen, vervolgens een stip die steeds kleiner werd en tot slot een klein plonsje in het blauw beneden, amper te onderscheiden tussen een miljoen witgekuifde golven.

Ik deed een stap naar voren en hielp Carter om de deur dicht te krijgen.

'Hij wist te veel, toch?' zei hij.

'Veel te veel,' zei ik.

We gingen zitten, knie aan knie.

Nog geen uur later viel het kwartje bij Carter. Hij was niet dom. 'Als de kernkop nep was, had hij kunnen beweren dat hij hem gebruikte om een belangrijke vijand in de val te laten lopen en uit te schakelen. Of als pressiemiddel bij economische oorlogsvoering. Een moderne Robin Hood. Hij haalde veel vuil geld uit de circulatie door de vijand een waardeloos stuk rommel te geven. Hij zou de verborgen held kunnen zijn. De bescheiden weldoener.'

'Maar?' zei ik.

'Dat was niet wat hij beweerde. En al die mensen gingen dood aan kanker. De Robinsons, de Donnelly's en de McLaughlins.

'Dus?' zei ik.

'De kernkop was echt. Het was een atoombom. Hij verkocht nucleaire wapens.'

'Kleintjes,' zei ik. 'Verouderde.'

Carter antwoordde niet. Dit was nog niet het belangrijkste. Het belangrijkste kwam vijf minuten later. Ik zag in zijn ogen dat het hem begon te dagen.

'Stel de vraag,' zei ik.

'Liever niet,' zei hij.

'Stel de vraag,' zei ik.

'Waarom lag er een pistool in het wc-hokje? De Special Branch-man was de hele tijd bij ons. Je hebt niet gebeld om het wapen te laten klaarleggen. Daar had je de kans niet voor. Maar toch lag het er. Waarom?'

Ik antwoordde niet.

'Het lag er voor mij. De Special Branch-man was een toevalligheid. Je was al die tijd van plan om mij dood te schieten.'

'Luister jongen, onze baas verkocht operationele kernwapens. Ik wis zijn sporen uit. Wat had je anders verwacht?'

'Hij vertrouwt me,' zei Carter.

'Nee, dat doet hij niet.'

'Ik zou hem nooit verraden. Hij is mijn held.'

'Gerald McCann zou jouw held moeten zijn. Hij was zo slim om dat verdomde ding niet te gebruiken. Ik weet zeker dat de verleiding groot geweest is.'

Carter antwoordde niet. Het was geen eenvoudige klus om hem uit te schakelen, in mijn eentje, maar de uren daarna verliepen vredig, alleen ik en de piloot, terwijl we hoog en snel een spectaculaire zonsondergang tegemoet vlogen. Ik kantelde mijn stoel naar achteren en rekte me uit. Ontspanning is belangrijk. Het leven is kort en onzeker, en je kunt maar beter het beste maken van alles wat er op je pad komt.

De waarheid over wat er gebeurd is

Ik had best een goed gevoel over mijn verklaring. Mijn antwoorden waren kort en bondig. Ik was beheerst. Ik zei niets wat ik niet had moeten zeggen. Ik paste een oud trucje toe dat iemand me lang geleden heeft geleerd, namelijk in mijn hoofd tot drie te tellen voordat ik een vraag beantwoordde. Je naam? Een, twee, drie, Albert Anthony Jackson. Die truc voorkomt overhaaste en ondoordachte antwoorden. Het geeft je tijd om na te denken. Ze worden er gek van, maar ze kunnen er niets tegen doen. De eed is niet: 'De waarheid, de gehele waarheid en niets dan de waarheid, en wel binnen drie seconden nadat de vragensteller zijn mond dichtdoet.' Probeer het maar. Op een dag zal het je redden. Want soms kunnen ondoordachte antwoorden verleidelijk zijn. Zoals in mijn geval die ochtend. De voorzitter van de commissie had een duidelijke agenda. De eerste inhoudelijke vraag die hij stelde was: 'Waarom zit je niet in het leger?' Alsof ik laf was, of geen enkel normbesef had. Hij probeerde mijn geloofwaardigheid te ondermijnen, vermoedde ik, voor het geval mijn verklaring ooit openbaar mocht worden.

'Ik heb een houten been,' zei ik.

Dat was waar. Niet door Pearl Harbor of zo. Hoewel ik er niet tegenin ga als iemand dat denkt. In werkelijkheid ben ik in de staat Mississippi overreden door een T-Ford. Een smal houten wiel, een harde band, een verbrijzeld scheenbeen, een plattelandsdokter die van mijlenver moest komen. Hij koos de gemakkelijke weg door mijn been onder de knie te amputeren. Geen groot probleem, behalve dat het leger me niet meer wilde hebben. En de marine ook niet. Maar alle andere mannen wilden ze wel. Als gevolg waarvan de FBI in de zomer van 1942 dringend nieuwe rekruten nodig had. Mijn been baarde hen geen zorgen. Het was gemaakt van esdoornhout, net als een honkbalknuppel. Niet dat ze ernaar vroegen. Ze gaven me een training, een penning en een pistool en stuurden me vervolgens de wereld in.

Een jaar later droeg ik dus in elk geval een wapen, al was het niet in dienst van de krijgsmacht. Maar zelfs dat vermurwde de man tegenover me niet. 'Vervelend om te horen,' zei hij afkeurend, beschuldigend, alsof ik onvoorzichtig was geweest of opzettelijk een plan had beraamd om onder de dienstplicht uit te komen. Maar daarna konden we prima met elkaar overweg. Hij stelde voornamelijk procedurele vragen over het onderzoek, en ik telde steeds tot drie. Ik beantwoordde alle vragen en om kwart voor twaalf was ik de kamer uit. Ik had er best een goed gevoel over, zoals ik al zei, totdat Vanderbilt me in de gang tegenhield en zei dat ik er nog een te gaan had.

'Wat?' vroeg ik.

'Een verklaring,' zei hij. 'Maar geen echte. Niet onder ede. Zonder poespas. Off the record, voor onze eigen dossiers.'

'Willen we echt dat onze dossiers afwijken van die van hen?'

'De beslissing is genomen,' zei Vanderbilt. 'Ze willen dat de waarheid ergens is vastgelegd.'

Hij nam me mee naar een andere kamer, waar we twintig minuten wachtten, en toen kwam er een stenograaf binnen om aantekeningen te maken. Het was een potige, gespierde vrouw van een jaar of dertig. Koperblond haar. Ik bedacht dat ze er goed uit zou zien in een badpak. Ze was niet in voor een praatje. Toen kwam Slaughter binnen, de baas van Vanderbilt. Hij beweerde dat hij familie was van Enos Slaughter van de St. Louis Cardinals, maar niemand geloofde hem.

We gingen allemaal zitten, Slaughter wachtte tot de gespierde vrouw haar potlood in de aanslag had en zei toen: 'Oké, vertel ons het verhaal.'

'Het hele verhaal?' vroeg ik.

'Voor interne doeleinden.'

'Het idee kwam van Mr. Hopper,' zei ik. Het is altijd goed om zo vroeg mogelijk met de vinger te wijzen.

'Dit is geen heksenjacht,' zei Slaughter. 'Begin bij het begin. Je naam. Voor het nageslacht.'

Een, twee drie.

'Albert Anthony Jackson,' zei ik.

'Functie?'

'Ik ben een special agent van de FBI, tijdelijk gedetacheerd voor de duur van het project.'

'Waar ben je gedetacheerd?'

'Waar we nu zijn,' zei ik.

'Namelijk?'

'Bij het project,' zei ik.

'Noem de naam, voor het verslag.'

'De Groep voor Materiaalontwikkeling.'

'De nieuwe naam.'

'Mogen we die wel uitspreken?'

'Relax, Jackson, alsjeblieft,' zei Slaughter. 'Je bent onder vrienden. Je staat niet onder ede. Je hoeft niets te ondertekenen. Het enige wat we willen, is een mondeling verslag.'

'Waarom?'

'We blijven niet eeuwig populair. Vroeg of laat zullen ze zich tegen ons keren.'

'Waarom denk je dat?' vroeg Vanderbilt.

'Omdat we dit voor hen gaan winnen. En ze houden er niet van om de spotlights te delen.'

'Ik begrijp het,' zei ik.

'Dus kunnen we maar beter onze eigen versie van het verhaal klaar hebben.'

'De naam van het project, graag,' zei Slaughter.

'Het Manhattan Project,' zei ik.

'Wat is je taak?'

'Beveiliging.'

'Verloopt dat succesvol?'

'Tot nu toe wel.'

'Wat vroeg Mr. Hopper je te doen?'

'Hij vroeg eerst helemaal niets,' zei ik. 'Het begon als een routineklus. Ze hadden een nieuwe faciliteit nodig. In Tennessee. Veel beton. Veel specialistische techniek. Het budget was tweehonderd miljoen dollar. Ze hadden iemand nodig die de boel leidde. Ik was verantwoordelijk voor het screeningsproces van de mensen die eraan zouden werken.'

'Vertel eens wat dat inhoudt.'

'We zoeken naar mogelijk compromitterende feiten in hun privé- en politieke leven.'

'Waarom?'

'We willen niet dat ze chantabel zijn, en we willen al helemaal niet dat ze hun geheimen gratis prijsgeven.'

'Wie onderzocht je in dit geval?'

'Een man genaamd Sherman Bryon. Hij was een bouwkundig ingenieur. Een oudere man, maar hij kreeg nog steeds dingen voor elkaar. Het idee was om hem kolonel in het leger te maken en aan het werk te zetten. Als hij schoon bleek te zijn.'

'En was dat zo?'

'In het begin leek alles in orde. Ik zag hem op een vergadering over een heel ander onderwerp. Over betonnen schepen, om precies te zijn. Ik observeer iemand altijd graag eerst. Van een afstand, zonder dat hij het doorheeft. Het was een lange man, goed gekleed, zilvergrijs haar, zilvergrijze snor. Hij was oud, maar had een recht postuur. Was waarschijnlijk erg welbespraakt. Zo'n soort man. Aristocratisch noemen ze dat. We vonden niets op papier. Hij stemde drie keer tegen Roosevelt, maar dat vinden we juist goed, officieel. Geen linkse sympathieën. Dat wordt als een positief teken gezien.

Geen financiële problemen. Geen schandalen met betrekking tot zijn werk. Al zijn bouwwerken stonden nog overeind.'

'Maar?'

'De volgende stap was: met zijn vrienden praten. Of liever gezegd, naar ze luisteren. Naar wat ze zeggen, en naar wat ze niet zeggen.'

'En wat zeiden ze?'

'In eerste instantie niet veel. Dat slag mensen is erg discreet. Erg correct. Ze praatten met me zoals ze met de postbode zouden praten. Ze waren beleefd en ik wist dat ze niets prijs zouden geven. Ik werkte voor een gerenommeerde en nuttige organisatie, maar ze waren niet van plan om vertrouwelijkheden te delen.'

'Hoe doorbreek je dat?'

'We vertellen een deel van de waarheid. Maar niet alles. Ik hintte erop dat er een top secret-project gaande was. In verband met de oorlog. Nationale veiligheid. Iets met betonnen schepen, liet ik doorschemeren, absoluut van vitaal belang. Ik zei dat het in deze tijden een patriottische plicht was om vertrouwelijkheden te delen.'

'En?'

'Toen werden ze wat toeschietelijker. Ze waren op de man gesteld. Ze respecteerden hem. Zakelijk gezien is hij betrouwbaar. Hij betaalt zijn rekeningen op tijd. Hij behandelt zijn werknemers goed. Hij is erg succesvol in een luxe nichemarkt.'

'Alles in orde, dus.'

'Er was iets wat ze niet zeiden. Ik moest doorvragen.'

'Namelijk?'

'De oude Sherman is getrouwd. Maar er gaan verhalen over een andere vrouw. Blijkbaar is hij met haar gezien.'

'Beschouwde je dat als een risico op chantage?'

'Ik ging met deze informatie naar Mr. Hopper,' zei ik.

'Wie is dat, voor de goede orde?'

'Mijn baas. Directeur Veiligheid. Het was een belangrijke beslissing. Mr. Hopper was onder de indruk van Bryons succes in de luxe nichemarkt. Hij overwoog hem te benoemen tot brigadegeneraal in plaats van kolonel. Hij was precies het type man dat we nodig hadden. Om hem af te wijzen, zou een grote beslissing zijn.'

'Achtte Hopper chantage waarschijnlijk?'

'Niet echt. Maar waar trek je de grens?'

'Wat heb je Hopper geadviseerd?'

'Ik zei dat we meer informatie nodig hadden. En dat we geen grote beslissingen moesten nemen op basis van alleen geruchten.'

'Nam Hopper je advies ter harte?'

'Misschien. Hij is niet blasé. Hij heeft tijd voor iedereen. Misschien was hij het gewoon met me eens. Of misschien had hij er geen trek in om naar vergaderingen te moeten gaan en roet in het eten te gooien. Misschien wilde hij de beslissing uitstellen. Hoe het ook zij, hij wilde inderdaad meer informatie.'

'Hoe ben je toen te werk gegaan?'

'De eerste drie dagen kon ik niets doen. De oude Sherman werd niet gezien in gezelschap van de ene, noch van de andere vrouw. Hij was op een conferentie over betonnen schepen. Denk je trouwens dat die überhaupt blijven drijven?'

'Of ik dat denk?' vroeg Slaughter. 'Betonnen schepen?'

'Lijkt me een stupide idee.'

'Ik ben geen nautisch expert.'

'Beton is iets anders dan staalplaat. Ze zouden het heel dik moeten gieten.'

'Kunnen we bij het onderwerp blijven?'

'Sorry. De man was dus op die schepenconferentie. Hij was hard aan het werk. En niet tussen de lakens. Maar Mr. Hopper wilde het met zijn eigen ogen zien. Hij zag de man echt zitten. Voor de functie, bedoel ik. Daarom mocht er geen enkele twijfel bestaan. Dus moesten we wachten.'

'Hoelang?'

'We zwaaiden her en der met wat geld. Vooral in hotels. We kregen een telefoontje van een receptionist dat die oude Sherman een kamer had geboekt voor vrijdagavond. Een tweepersoonskamer. De namen die hij opgaf waren die van hem en zijn vrouw. Maar niemand geloofde het. Waarom zouden ze een hotel boeken? Ze hebben een huis. Dus kwam Mr. Hopper met een plan.'

'En dat was?'

'Eerst namen we een kijkje bij het hotel. Mr. Hopper wilde hem in de lobby bespioneren. In de slaapkamer vond hij ongepast, voor dat type man. We gaven onze ogen goed de kost. Er stonden grijze fluwelen fauteuils, drie aan de ene kant en twee aan de andere kant. De receptie was van zwaar, bewerkt eikenhout. Er was een deur met gordijnen ervoor die naar de ontbijtzaal leidde. Mr. Hopper had bedacht hoe hij het wilde doen. Er was een raam. Rechts van de ingang. Als je op je tenen stond, kon je vanaf de straat precies naar binnen kijken. Dat was mooi, maar je had er weinig aan. Hij kon moeilijk urenlang naar binnen gaan staan gluren. Midden op de stoep. Voorbijgangers zouden de politie waarschuwen. Hij moest het precies goed timen. Hij zag geen andere oplossing.'

'Hoe loste hij het probleem op?'

'Hij loste het niet op. Ik stelde voor dat ik een paar dagen het werk van de receptionist zou overnemen. Als in een undercoverrol. Ik dacht dat ik niet veel te doen zou hebben en dat ik me een groot deel van de tijd achter de lampenkap kon verstoppen. Niemand zou naar me kijken. Ik bedacht dat ik de neonlichten buiten kon laten knipperen op het moment dat Mr. Hopper naar binnen moest kijken. De schakelaar was achter de receptie.'

'Je idee was dus dat je hem een seintje zou geven wanneer ze samen incheckten?'

'Het leek ons op twee manieren effectief: hij zou het visuele bewijs krijgen wat hij wilde, en ik zou met eigen ogen zien dat de vriendin incheckte als de echtgenote. Mr. Hopper deed het niet graag, want hij mocht de man, zoals ik al zei, maar hij moest ergens een grens trekken. Het project is erg belangrijk.'

'Was het plan succesvol?'

'Nee,' zei ik. 'Het was echt zijn vrouw. Ze liet me haar rijbewijs zien. Haast automatisch. Ik denk dat ze vaker met hem meereist. Naar die top secret-conferenties over betonnen schepen. Dus ze doet het zonder erbij na te denken. De naam klopte en de foto klopte ook.'

'En wat deed je toen?'

'Niets. Ik speelde de rol van receptionist. Toen ging de telefoon. Het was Mr. Hopper vanuit een telefooncel aan de overkant van de straat. Er was iets dringends. We hadden een tip gekregen dat de andere vrouw op weg was naar het hotel. Op dat moment. Mr. Hopper zei dat ik stand-by moest staan. Ik moest die oude Sherman naar beneden laten komen. Dat leek me geen probleem. Hij zou natuurlijk niet willen dat ik de vrouw naar boven stuurde, terwijl zijn echtgenote in de kamer was.'

'Kwam de vrouw inderdaad?'

'Het leek wel een scène uit een film. Een absurde komedie. Ik hoor de lift naar beneden komen. Die bevond zich tussen mij en de ontbijtzaal. Het hek schuift open en de oude Sherman stapt uit. Over zijn arm draagt hij de bontjas van zijn vrouw. Ze stapt direct na hem uit de lift. In een blauwe jurk, met een tijdschrift in haar hand. Aan de ene kant denk ik als een agent, en aan de andere kant denk ik: wegwezen, vriend, wegwezen voordat het te laat is. Maar de vrouw strijkt neer in een fauteuil, pal voor mijn neus. Ze begint in haar tijdschrift te lezen. De oude Sherman blijft gewoon staan, twee stappen van de lift vandaan. Inmiddels heb ik me achter de lampenkap verstopt. Dan komt de andere vrouw het hotel binnen. Bontjas, bontmuts, een rode jurk. Het is een oudere vrouw. Van Shermans leeftijd. Ze buigt zich voorover en kust de vrouw in de stoel op de wang, waarna ze naar Sherman toe loopt en ook hem met een kus begroet. Ik denk, wat zullen we nou krijgen? Een ménage à trois? Dat zou nog erger zijn.'

'En toen?'

'De andere vrouw ging ook in een stoel zitten, de echtgenote ging verder met lezen. De andere vrouw keek op en zei iets tegen Sherman. Er volgde een beleefd praatje. Ik flitste met het neonlicht en zag Mr. Hopper door het raam naar binnen kijken. Hij zag alles.

Hij herinnert zich elk detail. Het schilderij van een bergmeer dat aan de muur hing. Maar hij begreep niet hoe de situatie in elkaar zat. Hij begreep niet wat er aan de hand was.'

'Wat deed hij toen?'

'Hij bleef staan wachten op de stoep. De oude Sherman vertrok met zijn echtgenote. De andere vrouw bleef in het hotel en vroeg me om een taxi voor haar te bellen. Ik besloot haar mijn penning te laten zien. Ik gaf dezelfde uitleg als ik aan zijn vrienden had gegeven. Nationale veiligheid, dat soort dingen. Ik stelde haar wat vragen.'

'En?'

'Ze bleek de schoonmoeder van de oude Sherman te zijn. Twee jaar jonger dan hij, maar zo gaan die dingen. De oude Sherman is erg gelukkig met zijn jonge bruidje. En zij met hem. De schoonmoeder is blij met hen allebei. Ze blijft een maand bij hen logeren en hij gaat haar de stad laten zien. Ze vind het lief dat hij zoveel tijd voor haar vrijmaakt. Wij denken dat hij het doet om zijn vrouw te plezieren. En ze is het waard. Zeker voor een oude man. Ze verbleven in het hotel en niet thuis omdat ze de volgende ochtend vroeg met de trein moesten. Dus het was vals alarm. Er zijn zoveel mannen die met jongere vrouwen trouwen. Er is geen wet die dat verbiedt. Mr. Hopper verklaarde Bryon geschikt voor de functie en hij is inmiddels al in Tennessee begonnen.'

Slaughter zweeg even en zei toen: 'Oké, ik denk dat we zo genoeg weten. Bedankt, Jackson.'

Dus voor de tweede keer die dag had ik best een goed gevoel over mijn verklaring. Ik had niets gezegd wat ik niet wilde zeggen.

Een deel van de waarheid was vastgelegd. Iedereen was tevreden. We hebben de zaak voor ze gewonnen. Toen keerden ze zich tegen ons. Maar toen was de oude Sherman Bryon al dood, dus maakte het niet meer uit.

Pierre, Lucien & ik

Ik overleefde mijn eerste hartaanval. Maar toen ik voldoende was hersteld om rechtop in bed te kunnen zitten, kwam de dokter me vertellen dat er vrijwel zeker een tweede zou volgen. Het was slechts een kwestie van tijd, zei hij. De eerste hartaanval duidde op een ernstige onderliggende aandoening, die nog verergerd was door de aanval. Het kon een paar dagen duren, of een paar weken. Hooguit een paar maanden. Hij zei dat ik mezelf vanaf nu als invalide moest beschouwen.

'Dit is 1928, verdomme,' zei ik. 'Je kunt mensen van mijlenver weg horen praten op de radio. Dan heb je hier toch wel een pil voor?'

Helaas niet, zei hij. Niets aan te doen. Misschien kon ik naar het theater gaan. Of brieven schrijven. Hij zei dat mensen vaak de meeste spijt hebben van de dingen die ze niet hebben gezegd. Toen vertrok hij. Ik vertrok ook. Nu zit ik al vier dagen thuis. Niets te doen. Te wachten op de tweede hartaanval. Die over een paar dagen, weken of maanden komt. Wie zal het zeggen.

Ik ben niet naar het theater gegaan. Nog niet. Ik moet toegeven dat het verleidelijk is. Ik vraag me weleens af of de dokter het ook om een andere reden aanraadde dan alleen ter vermaak. Ik kan me voorstellen dat ik de nieuwste musical zou bezoeken, een bont, uitgelaten spektakel met een grande finale, waarbij ik net als iedereen in het publiek uit mijn stoel zou opspringen voor een staande ovatie, en dat ik dan met mijn handen tegen mijn borst gedrukt op een hoopje in elkaar zou zakken, als een regenjas die van een ingeklapte theaterstoel glijdt. Ik zou ter plekke sterven, terwijl om me heen het onwetende publiek zou juichen en met de voeten zou stampen. Mijn laatste uren zouden verstrijken met zang en dans. Geen slechte manier om te gaan. Maar in mijn geval zou het waarschijnlijk net te snel gebeuren. Iets zou de aanval al eerder uitlokken. Misschien terwijl ik uit de metro kwam. Halverwege de steile ijzeren trappen omhoog naar 42nd Street. Ik zou in elkaar zakken en een meter omlaag glijden, in de nattigheid, het vuil en de drab, en mensen zouden wegkijken en in een boogje om me heen lopen alsof ik een zwerver was. Of ik zou het uithouden tot in het theater, maar dan dood neervallen op de trap naar het balkon. Ik kan me geen eersterangskaartjes meer veroorloven. En áls ik mezelf naar het balkon zou weten te slepen, me vastklampend aan de trapleuning, buiten adem, met bonzend hart, zou ik de geest geven terwijl het orkest nog aan het stemmen was. Het laatste wat ik dan hoorde, was het gejammer van violen op zoek naar de zuivere concertstemming. Minder fraai. En het zou de pret voor iedereen bederven. Misschien zou de voorstelling afgelast worden.

Dus om nog maar eens te zeggen wat ik altijd heb gezegd, al wordt dat nu steeds onwaarschijnlijker: een theatervoorstelling bezoeken is iets wat ik misschien later nog weleens ga doen.

Brieven schrijven heb ik ook niet gedaan. Ik weet waar de dokter op doelde. Misschien zijn er harde woorden gevallen in het laatste gesprek dat je met iemand had. Misschien heb je nooit de tijd genomen om te zeggen: hé, je bent echt een goede vriend, weet je dat? Maar die vlieger gaat voor mij niet op. Ik ben een open boek. Ik praat veel. Mensen weten wat ik denk. We hebben mooie tijden gekend met elkaar. Ik wil die niet bederven met een of ander morbide afscheidsbericht.

Waarom zou je brieven schrijven?

Misschien omdat je je ergens schuldig over voelt.

Maar dat doe ik niet. Meestal niet. Bijna nooit. Ik wil niet beweren dat mij niets te verwijten valt, maar ik hield me aan de regels. We waren aan elkaar gewaagd. Ze waren zelf ook boeven. Dus ik heb er 's nachts niet wakker van gelegen. Dat doe ik nog steeds niet. Er zijn geen grote dingen die ik moet rechtzetten. Ook geen kleine dingen. Ik kan niets bedenken.

Maar als je zou blijven aandringen zou ik misschien, heel misschien, die knul van Porterfield noemen. Hij is de enige die ik kan bedenken. Hoewel het puur zakelijk was, zoals altijd. Een zot en zijn geld.

De jonge Porterfield was absoluut een zot en hij had absoluut geld. Hij was de zoon van iemand die in de boulevardbladen een Pittsburgh-staalmagnaat werd genoemd. Die oude baas maakte van zijn staalfortuin een nog veel groter oliefortuin en liet al zijn kinderen miljoenen na. En zijn kinderen lieten herenhuizen aan Fifth Avenue bouwen. Ze wilden dingen om aan de muur te hangen. Stomme idioten, allemaal. Behalve die van mij, hij was een lieve stomme idioot.

Ik ontmoette hem negen jaar geleden, eind 1919. Renoir was net overleden in Frankrijk. Het bericht kwam via de telegraaf. Ik werkte destijds in het Metropolitan Museum, bij de goederenexpeditie. Niet erg glamoureus, maar ik hoopte op te klimmen. Ik wist het een en ander van kunst, ook toen al. Ik deelde een appartement met Angelo, een Italiaanse jongen die nachtclubartiest wilde worden. Intussen werkte hij als ober in een grillrestaurant vlak bij het beursgebouw. Op een dag kwamen er vier rijke kerels in het grillrestaurant lunchen. Bontkragen, leren laarzen. Een fortuin van miljoenen en miljoenen. Het straalde ervan af. Alle vier jong, als prinsen. Angelo hoorde een van hen zeggen dat je beter werk van levende kunstenaars kunt kopen, omdat de waarde van zo'n werk flink stijgt als hij doodgaat. Zo ging dat. De wetten van de markt. Vraag en aanbod. Meer aantrekkingskracht, meer status. In reactie daarop zei een tweede man dat ze in dat geval met Renoir allemaal de boot hadden gemist. De man had het nieuws over zijn dood op de lichtkrant voorbij zien komen. Maar de derde man, die Porterfield bleek te zijn, zei dat er misschien nog tijd was. Misschien zou de markt niet direct reageren. Misschien was er een korte respijtperiode voordat de prijzen de pan uit zouden rijzen.

Toen kwam Angelo om de een of andere stupide reden op het idee om Porterfield aan te klampen toen hij wegging en te zeggen dat hij een appartement deelde met een man die voor het Metropolitan Museum werkte, veel over Renoir wist en een expert was in het opsnorren van schilderijen op onwaarschijnlijke plaatsen.

Toen Angelo het me die avond vertelde, vroeg ik: 'Waarom heb je dat in godsnaam gezegd?'

'Omdat we vrienden zijn,' zei hij. 'Omdat we vooruit willen komen. Je zou hetzelfde voor mij doen. Als je iemand hoorde zeggen dat hij een zanger zocht, zou je hem toch ook over mij vertellen? Jij helpt mij, ik help jou. Samen komen we hogerop. Omdat we talent hebben. En geluk. Zoals vandaag. Die rijke kerel had het over kunst, jij werkt in het Metropolitan Museum. Wat klopt daar niet aan?'

'Ik laad karren uit,' zei ik. 'Het enige wat ik zie, zijn kisten.'

'Je begint onderaan. Je werkt je omhoog. Dat is niet gemakkelijk, dat weten we allemaal. Dus als je de kans krijgt de lift te nemen in plaats van de trap, dan moet je die grijpen. Die kans krijg je niet vaak. Deze man is er perfect voor.'

'Ik ben er nog niet klaar voor.'

'Je weet veel over Renoir.'

'Niet genoeg,' zei ik.

'Wel,' zei Angelo. 'Je kent de stroming. Je hebt er oog voor.'

Dat was lichtelijk overdreven. Maar niet geheel onwaar, bedacht ik. Ik had in de krant reproducties van zijn werk gezien. Mijn voorkeur ging uit naar oudere kunst, maar ik probeerde bij de tijd te blijven. Ik kon een Manet van een Monet onderscheiden.

'Wat is het ergste wat er kan gebeuren?' vroeg Angelo.

En ja hoor, de volgende ochtend waagde een bode van de postkamer van het museum zich buiten in de kou om me een brief te overhandigen. De brief zag er fraai uit, hij was geschreven op zwaar papier en zat in een dikke envelop. Hij kwam van Porterfield. Hij nodigde me uit om langs te komen, zo snel mogelijk, om een belangrijk voorstel te bespreken.

Hij woonde tien huizenblokken naar het zuiden, aan Fifth Avenue, zijn huis stond achter een bronzen poort, waarschijnlijk afkomstig uit de tuin van een oud paleis in Florence. Hierheen verscheept op een grote boot, misschien samen met de juiste vaklieden. Ik werd naar een bibliotheek gebracht. Porterfield kwam vijf minuten later binnen. Hij was toen tweeëntwintig, vol vuur en energie, met een grote domme glimlach op zijn grote roze gezicht. Hij deed me denken aan een puppy die mijn neef ooit had. Grote voeten waarmee hij over de vloer gliste en gleed, een en al enthousiasme. We wachtten tot een man ons koffie had gebracht en toen vertelde Porterfield me over zijn theorie van de respijtperiode. Hij zei dat hij altijd al van Renoir had gehouden, en dat hij een schilderij van hem wilde. Of twee, of drie schilderijen. Het zou veel voor hem betekenen. Hij wilde dat ik naar Frankrijk ging om te kijken wat ik kon vinden. Zijn budget was ruim. Hij zou me introductiebrieven voor de plaatselijke banken meegeven. Ik zou zijn inkoper zijn. Hij wilde me er met het eerstvolgende stoomschip naartoe sturen, tweede klasse. Hij zou al mijn onkosten vergoeden. Hij praatte en praatte. Ik luisterde en luisterde. Ik besloot dat hij voor zo'n tachtig procent overeenkwam met elke andere rijke eikel in de stad met te veel kaal behang in zijn eetkamer. Maar ik kreeg ook het gevoel dat hij oprecht van Renoir hield. Niet alleen als investering.

Toen hij uiteindelijk was uitgepraat, zei ik om de een of andere achterlijke reden: 'Oké, ik doe het. Ik vertrek meteen.'

Zes dagen later was ik in Parijs.

Het leek onbegonnen werk. Ik kende niets en niemand. Ik ging als gewone bezoeker naar galerieën, maar de prijzen van Renoirs waren al door het plafond geschoten. Er was geen respijtperiode. De eerste man in het grillrestaurant had gelijk gehad. Porterfield had ongelijk. Maar ik voelde me verplicht om door te zetten. Ik ving wat geruchten op. Sommige handelaren vreesden dat Renoirs kinderen de markt zouden overspoelen met schilderijen die ze in zijn atelier hadden aangetroffen. Blijkbaar stonden de schilderijen er zes rijen dik tegen de muren. Het atelier bevond zich in het plaatsje Cagnes-sur-Mer, in de heuvels boven Cannes, een klein vissershaventje in het diepe zuiden. Aan de Middellandse Zee. Cannes was per trein bereikbaar, en het laatste stuk kon je waarschijnlijk per ezelskar afleggen.

Ik besloot te gaan. Waarom ook niet? Het alternatief was terugkeren naar huis, naar een baan die ik waarschijnlijk al kwijt was. Ik was zonder toestemming afwezig. Dus ik nam de slaaptrein richting dat hete, gele landschap. Een ponykar nam me mee de heuvels in. Het was een aangename plek waar Renoir woonde. Een paar goed onderhouden hectaren grond, een laag stenen huis. Hij was vele jaren succesvol geweest. Geen arme kunstenaar. Niet meer.

Het huis leek verlaten, maar toen verscheen er een jongeman die zei dat hij een goede vriend van Renoir was. Hij zei dat hij Lucien Mignon heette en dat hij er woonde. Dat hij ook kunstenaar was. Hij vertelde dat Renoirs kinderen langs waren geweest, maar dat ze alweer weg waren, en dat Renoirs vrouw in Nice bij een vriend logeerde. Omdat hij Engels sprak, vroeg ik hem mijn oprechte deelneming aan de juiste partijen over te brengen. Mede namens Renoirs bewonderaars in New York. En dat waren er nogal wat. En ze waren allemaal, om puur academische en zelfs sentimentele redenen, vanzelfsprekend, erg benieuwd hoeveel schilderijen er zich precies nog in het atelier bevonden.

Ik dacht dat Mignon daar meteen op zou reageren, omdat hij een kunstenaar was en daarom gespitst was op financiële kansen, maar hij reageerde niet. Niet rechtstreeks, in elk geval. In plaats daarvan vertelde hij me over zijn leven. Hij was schilder, eerst een bewonderaar van Renoir, toen een vriend, en daarna een constante metgezel. Een soort jongere broer. Hij woonde al tien jaar in het huis. Ondanks het leeftijdsverschil voelde hij een diepe band met Renoir. Een ware verwantschap.

Het klonk me vreemd in de oren. Als een aandoening waarvoor mensen naar een gesticht werden gestuurd. En het werd nog erger. Hij liet me zijn werk zien. Het leek precies op dat van Renoir. Bijna exacte kopieën, wat stijl, techniek en onderwerp betrof. Niet alle werken waren gesigneerd, alsof hij de illusie wilde behouden dat het werk misschien door de meester zelf gemaakt kon zijn. Het was een vreemd en slaafs eerbetoon.

Het atelier was een grote, hoge, vierkante kamer. Het was er koel en licht. Er hingen wat werken van Renoir aan de muur, en ernaast hingen een paar schilderijen van Mignon. Het verschil was amper te zien. Eronder stonden de schilderijen inderdaad in zes rijen dik tegen de muur. Mignon zei dat Renoirs kinderen die werken opzij hadden gezet. Als hun erfenis. Ze mochten niet bekeken of aangeraakt worden. Omdat ze allemaal heel goed waren. Hij zei het alsof het op de een of andere manier ook zijn verdienste was dat ze allemaal heel goed waren.

Ik vroeg hem of hij op de hoogte was van andere doeken die nog niet gereserveerd waren. Waar in Frankrijk dan ook. Bij wijze van antwoord wees hij door de kamer. Tegen een andere muur stond een groepje werken dat de kinderen hadden afgekeurd. Het was wel duidelijk waarom. Het waren allemaal schetsen, probeersels en onvoltooide schilderijen. Eén ervan bestond uit niet meer dan een golvende groene lijn die van links naar rechts over een verder leeg doek liep. Misschien was het een afgebroken poging tot een landschap. Mignon vertelde dat Renoir niet graag buiten schilderde. Hij bleef liever binnen, met zijn modellen. Roze en rond. Meestal dorpsmeisjes. Blijkbaar was een van hen mevrouw Renoir geworden.

Op de onderste helft van een afgekeurd doek was een landschap geschilderd. Tientallen groene penseelstreken, mooi gedaan, suggestief, maar een beetje aarzelend en ingehouden. De lucht ontbrak. Ook een afgebroken poging. Een terzijde geschoven doek. Maar later had Renoir het doek weer opgepakt voor een ander doel. Waar de lucht hoorde te zijn, was een stilleven geschilderd van roze bloemen in een groene, glazen vaas. Het stilleven bevond zich linksboven op het doek, liggend boven het onvoltooide landschap, en mat niet meer dan 20 bij 25 centimeter. Het waren rozen en anemonen. De roze tinten waren Renoirs handelsmerk. Mignon en ik waren het erover eens dat niemand beter met roze uit de voeten kon dan Renoir. De vaas was een goedkoop prul, voor een paar sous op de markt gekocht, of zelf gemaakt door een lege wijnfles te vullen met zo'n 15 centimeter kokend water en er met een hamer tegenaan te tikken.

Het was een prachtig klein werkje. Het plezier spatte van het doek af. Mignon vertelde dat er een mooi verhaal achter zat. Mevrouw Renoir was eens op een zomerdag de tuin in gegaan om bloemen te plukken. Ze had het vaasje gevuld met water uit de pomp en de bloemen er kunstig in geschikt. Ze liep met het vaasje terug het huis in via de deur van het atelier, de gemakkelijkste weg. Toen haar man het vaasje zag, voelde hij spontaan de drang het te schilderen. Een hevige drang, zei Mignon. Zo was zijn artistieke temperament. Renoir onderbrak zijn werk, pakte het dichtstbijzijnde doek, toevallig het onvoltooide landschap, zette het op zijn ezel en schilderde de vaas met bloemen op de lege plek waar de lucht hoorde te zijn. Hij zei dat hij de ongekunstelde wildheid van de bloemen niet kon weerstaan. Zijn vrouw, die meer dan tien minuten bezig was geweest met het schikken van de bloemen, deed er glimlachend het zwijgen toe.

Natuurlijk stelde ik een deal voor.

Ik zei dat als ik het kleine stilleven mee naar huis mocht nemen, puur voor mezelf, als persoonlijk aandenken, dat ik twintig werken van Mignon zou kopen om in New York door te verkopen. Ik bood hem honderdduizend dollar van Porterfields geld.

Mignon zei natuurlijk ja.

Nog één ding, zei ik. Hij moest me helpen het vaasje bloemen uit het grotere doek te snijden en op een eigen spanraam te bevestigen. Alsof het een origineel werkje was.

Hij ging akkoord.

Nog één ding, zei ik. Hij moest ook Renoirs signatuur erop schilderen. Puur voor mijn eigen voldoening.

Hij aarzelde.

Ik zei dat Renoir het werk had geschilderd. Dat Mignon dat zeker wist. Hij had het met eigen ogen gezien. Dan was het toch geen bedrog?

Hij ging akkoord en de toekomst lachte me toe.

We haalden het doek met het landschap en de vaas met bloemen van het spanraam, sneden er het rechthoek van twintig bij vijfentwintig centimeter uit, plus wat marge om het werk op een eigen raam te kunnen bevestigen, dat Mignon vervolgens in elkaar timmerde van hout en nagels die in het atelier lagen. Toen we alles in elkaar hadden gezet, kneep hij een klodder verf uit een tube, donkerbruin, niet zwart, nam een kamelenharen penseel en bracht rechtsonder in de hoek Renoirs signatuur aan, met een sierlijke hoofdletter en vloeiende kleine letters, heel Frans, en heel identiek aan de tientallen voorbeelden van de echte signatuur die ik overal om me heen zag.

Vervolgens koos ik twintig van Mignons eigen werken. Natuurlijk koos ik de meest indrukwekkende en Renoir-achtige. Nadat ik een cheque had uitgeschreven – *honderdduizend dollar en nul centen* – wikkelden we de eenentwintig doeken in papier en laadden ze op de ponykar, die op me had gewacht, vanwege mijn instructies en Porterfields royale fooi. Ik zwaaide gedag en reed weg.

Ik heb Mignon nooit meer gezien. Maar we bleven nog drie jaar lang zakendoen, bij wijze van spreken.

Ik huurde een kamer in Cannes, in een mooi hotel aan zee. Piccolo's brachten mijn pakketten naar boven. Ik ging op zoek naar een winkel in kunstenaarsbenodigdheden, waar ik een tube donkerbruine olieverf en een kamelenharen penseel kocht. Ik zette mijn kleine stilleven op het dressoir en kopieerde Renoirs signatuur, twintig keer, in de hoek rechtsonder op de schilderijen van Mignon. Toen ging ik naar de lobby en stuurde Porterfield een telegram: *Drie prachtige Renoirs gekocht voor honderdduizend. Ik ben z.s.m. terug.*

Zeven dagen later was ik thuis. Als eerste ging ik naar een lijstenmaker voor mijn stilleven, dat ik vervolgens op mijn schoorsteenmantel zette, en daarna ging ik naar Porterfields herenhuis aan Fifth Avenue met drie van Mignons beste werken.

Dat was het moment dat het zaadje van schuldgevoel werd geplant. Porterfield was zo blij. Hij was in de zevende hemel. Hij had zijn Renoirs. Hij straalde en grijnsde als een kind op kerstochtend. Ze waren wonderschoon, zei hij. Een koopje. Drieëndertig mille per stuk. Hij gaf me zelfs een bonus.

Ik zette me er al snel overheen. Dat moest wel. Ik moest nog zeventien Renoirs verkopen, en dat was precies wat ik deed, verspreid over een periode van drie jaar, zodat ze hun waarde behielden. Ik was net als de handelaars die ik in Parijs had ontmoet. Ik wilde geen overaanbod creëren. Met het geld verhuisde ik naar een goede wijk. Ik heb nooit meer met Angelo samengewoond. Ik ontmoette een man die zei dat RCA-aandelen je van het waren, dus kocht ik ze, maar ik kwam bedrogen uit. Ik verloor bijna alles. Maar ik klaagde niet. De bedrieger werd bedrogen. Boontje komt om zijn loontje. In deze onverschillige stad versmalde mijn wereld zich tot een eenzaam bestaan, dat nog enigszins werd opgefleurd door de gloed van de rozen en anemonen boven de open haard. Ik stelde me dezelfde gloed voor in Porterfields huis, als twee spelden op een kaart. Twee centra van geluk en plezier. Hij met zijn Renoirs, ik met de mijne.

Toen kwam de hartaanval, en het schuldgevoel. Die lieve stomme idioot. De brede glimlach op zijn gezicht. Ik schreef hem geen brief. Wat moest ik zeggen? In plaats daarvan haalde ik mijn Renoir van de muur, wikkelde hem in papier, liep ermee naar Fifth Avenue en stapte door de bronzen Italiaanse poort naar de voordeur. Porterfield was niet thuis. Dat was niet erg. Ik gaf het pakketje aan zijn bediende en zei dat ik het aan zijn baas wilde schenken omdat ik wist dat hij van Renoir hield. Toen liep ik weer weg, terug naar mijn huis, waar ik nog altijd zit te wachten op mijn tweede hartaanval. Mijn muur ziet er kaal uit, maar misschien wel mooier.

Nieuw leeg document

Dit gebeurde allemaal zo'n tien jaar gelegen, toen ik nog niet zoveel opdrachten kreeg. Misschien twee per maand. Soms drie. Allerlei soorten verzoeken, omdat ik goedkoop en altijd beschikbaar was. Ik was een nieuwe freelancer die naam probeerde te maken, en ik was me ervan bewust dat opdrachten weleens lange tijd schaars konden zijn, dus ik was overal toe bereid. Ik ging overal naartoe, voor allerlei soorten klussen. Een paar duizend woorden hier of daar, en ik kon mijn huur betalen. Nog een paar duizend, en ik had brood op de plank.

Mijn telefoon ging, en toen ik opnam hoorde ik een vaag fluitend en krassend geluid. Geen lokaal nummer. Het bleek een tijdschriftredacteur uit Parijs te zijn. Een trans-Atlantisch telefoontje. Mijn eerste ooit. De man sprak vloeiend Engels, maar met een accent. Hij zei dat hij mijn naam via een bureau had gekregen. Het bureau dat hij noemde was het bureau waar we ons allemaal inschreven, in de hoop op een opdracht voor een buitenlandse publicatie. Blijkbaar werd mijn hoop die dag vervuld. De man uit Parijs zei dat hij een klus voor me had. Hij zei dat zijn tijdschrift het grootste was in dit en het grootste was in dat, maar uiteindelijk kwam het erop neer dat hij een kort artikeltje nodig had over de broer van een of andere vent.

'De broer van Cuthbert Jackson,' zei hij plechtig, alsof hij me de Nobelprijs voor Literatuur toekende.

Ik gaf geen antwoord. Ik tikte met één hand *Cuthbert Jackson* in op mijn toetsenbord en de zoekmachine kwam met een obscure Amerikaanse jazzpianist, een oude zwarte man die was geboren in Florida maar al lange tijd permanent in Frankrijk woonde.

'Cuthbert Jackson, de pianist?' vroeg ik.

'En nog veel meer,' zei de Parijzenaar. 'Je kent hem natuurlijk. We zijn van plan een uitgebreide biografie van hem te publiceren. In delen, verspreid over dertien weken. Monsieur Jackson heeft onlangs onthuld dat hij een familielid heeft dat nog in leven is. Een broer, en die woont in Florida. Natuurlijk moet hij een plek in ons verhaal krijgen. Je moet hem zo snel mogelijk opzoeken. Klopt het dat je in de buurt van Florida woont?'

Dat klopte, wat misschien ook verklaarde waarom hij mij uit de lijst van het bureau had gekozen. Vanwege mijn geografische locatie. Minder kilometers af te leggen.

'Florida is een grote staat, maar ik woon er inderdaad vlakbij.'

'In het ideale geval kun je wat biografische feitjes over hun familie achterhalen. Dat zou geweldig zijn. Maar maak je geen zorgen. In het slechtste geval gebruiken we de info puur voor een kadertje in de zijbalk, zo van: trouwens, monsieur Jackson heeft een broer, dit is waar hij woont en dat is wat hij doet.'

'Ik begrijp het,' zei ik.

'Het is erg belangrijk.'

'Ik begrijp het,' herhaalde ik.

Tien jaar geleden was het internet nog niet wat het nu is. Maar het was ver genoeg ontwikkeld om me te helpen bij mijn zoektocht. Er waren prikborden en fanforums, websites met oude foto's, pagina's over de geschiedenis van de jazz, en wat politieke stukken, vooral in het Frans. Lang verhaal kort, Cuthbert Jackson werd in 1925 geboren in een of ander gat in de pannensteel van Florida. Er was één piano in het gehucht en hij zat er altijd op te pingelen. Hij was een wonderkind, maar op zijn vierde waren de mensen al zo aan zijn kunstjes gewend, dat ze er niet meer van opkeken. Op zijn achttiende werd hij opgeroepen voor het Amerikaanse leger en opgeleid als ondersteunend technicus. Hij werd naar Europa gestuurd voor de invasie tijdens D-Day. Hij werd naar Parijs gestuurd om na de bevrijding mee te marcheren in de parade van de Amerikaanse troepen. Hij was er nooit meer weggegaan. Eerst stond hij geregistreerd als ongeoorloofd afwezig, maar uiteindelijk werd hij gewoon vergeten.

In die sombere naoorlogse jaren speelde hij piano in Parijs, zwetend in kleine kelderclubs, voor een publiek dat wanhopig op zoek was naar iets nieuws om in te geloven en dat voor een deel vond in de Amerikaanse pianomuziek van een uitgeweken zwarte man. Hij zou gezegd hebben dat hij de muziek niet alleen speelde, maar ook bezig was die te ontwikkelen, en misschien wel extra snel en radicaal vanwege zijn geïsoleerde positie. Hij bevond zich niet in LA of Greenwich Village. Hij hoorde eigenlijk amper muziek van anderen. Dit zorgde ervoor dat sommige mensen zijn stijl een school of een beweging noemden, wat tot existentiële discussies leidde met aanhangers van andere scholen en bewegingen. En dat leidde weer tot toenemende roem, wat er op een typisch Franse manier voor zorgde dat hij zich steeds meer terugtrok, wat hem alleen nog maar beroemder maakte. Het weinige wat hij zei, was voor hemzelf klare taal, maar vertaald in het Frans klonk hij als Socrates. Zijn plaatverkoop schoot door het plafond. In Frankrijk. Nergens anders. Het was toen een trend: succesvolle zwarte schrijvers, dichters en schilders, allemaal Amerikanen die in Parijs woonden. Er verschenen een paar artikelen over in weekbladen. De naam van Cuthbert Jackson werd genoemd. Ook vanwege het politieke klimaat. Frankrijk was in ontwikkeling. Het land had ruimtevaart, auto's en kernbommen. Iedereen deed het vrij goed. Maar de Amerikanen deden het nog beter. En dat leidde tot een giftige mix van minachting en afgunst. En dat leidde weer tot kritiek. Wat de vraag opwierp: waarom doen jullie zwarte mensen het beter als jullie hierheen komen? Wat een beetje aanmatigend was, en een cirkelredenering, omdat het in feite geen oprechte vraag was, maar een strategische zet in het spel. Hoe dan ook, dit alles viel in het niet bij de grote storm die thuis raasde. Vergeleken daarbij ging het er in Frankrijk erg kalm en beschaafd aan toe. Mensen waren het erover eens dat er een film van gemaakt kon worden. Mensen vroegen zich af of je de rechten op een memo van het ministerie van Buitenlande Zaken kon kopen om die film op te baseren.

Cuthbert Jackson negeerde het onderwerp meestal, maar als hem een rechtstreekse vraag werd gesteld, gaf hij een antwoord dat hij zelf van gezond verstand vond getuigen, hoewel zijn Franse zinnen naarmate hij ouder werd en beknopter formuleerde, steeds vreemder en filosofischer overkwamen. Iemand schreef een heel boek over Jacksons antwoord van vijf woorden op een vraag over de toekomst van de mensheid.

Zijn meest recente cd was opgenomen met zijn vaste trio en had prima verkocht.

Zijn meest recente publieke verklaring was dat hij een broer had.

Op mijn kaart leek de plek waar de broer zou moeten wonen in een ruig gebied te liggen, op bijna een dag rijden, dus ik vertrok vroeg.

Ik ging ervan uit dat er geen motels zouden zijn. Ik was van plan in de auto te slapen. Ik was overal toe bereid. Ik moest mijn huur betalen.

Het stadje was precies zo armoedig als ik had verwacht. Misschien nog iets armoediger. De lage huizen stonden dicht op elkaar rond iets wat wel leek op de archeologische resten van een vroegere beschaving. Een soort oude fabriek, misschien een suikerfabriek, en vervolgens hadden winkels en banken zich er gevestigd, soms in gebouwen die ooit netjes of zelfs mooi waren geweest, een bescheiden drie verdiepingen tellend, allemaal tientallen jaren geleden verlaten, nu overwoekerd en vervallen. Ik zag een groepje mannen staan en stapte uit de auto. Ze stonden ergens op te wachten. Hun ongeduld was vermengd met de stellige overtuiging dat er elk moment iets aan zou komen.

'Waar wachten jullie op?' vroeg ik.

'Op de pizzatruck,' zei hij.

De pizzatruck arriveerde precies op tijd en bleek als de nieuwe versie van hun kroeg te fungeren, omdat hun echte kroeg was ingestort. De pizzaman had blikjes bier in een koelbox, wat misschien wel of misschien niet aan de lokale voorschriften voldeed. Het eten van de pizza gebeurde staande, eigenlijk net als in een gezellige kroeg, waarbij het bier de rol van bier vervulde en de pizza die van chips en zoute pinda's.

Ik telde twintig mensen. Ik legde een van hen uit dat ik op zoek was naar de broer van Cuthbert Jackson.

'Van wie?' vroeg hij.

'Van Cuthbert Jackson. Hij speelde piano. Hij had een broer.'

'Wie?' vroeg een andere man.

En toen nog een. Ze waren allemaal vol interesse. Misschien waren ze uitgepraat over pizza's.

'Hij is beroemd in Frankrijk,' zei ik.

Geen reactie.

'Wie van jullie is de oudste?' vroeg ik.

Dat bleek een man van tachtig te zijn, die een pizza pepperoni at en High Life-bier dronk.

'Herinnert u zich de Tweede Wereldoorlog nog?' vroeg ik.

'Natuurlijk herinner ik me die,' zei hij.

'Cuthbert Jackson ging in het leger toen hij achttien was, u was toen dus zestien. Hij kon heel goed pianospelen. U hebt hem waarschijnlijk weleens gehoord.'

'Die jongen is niet teruggekomen.'

'Omdat hij in Frankrijk is gebleven.'

'We dachten dat hij gesneuveld was.'

'Dat is niet zo. Hij heeft pas onthuld dat hij een broer heeft.'

'Is hij nog steeds muzikant?'

'Absoluut.'

'Dan bedoelt hij het misschien metaforisch. Je weet hoe die artistiekelingen zijn. Misschien had hij een soort spirituele openbaring. Over de broederschap van de mens.'

'En als dat niet zo was?'

'Ben je een journalist?'

'Met trots,' zei ik, zoals ik altijd deed.

'Voor wie schrijf je?'

'Voor iedereen die bereid is me te betalen. In dit geval voor een Frans tijdschrift.'

'We dachten dat hij was gesneuveld. Waarom zou hij in Frankrijk gebleven zijn? Dat lijkt me niet logisch.'

'Kent u zijn broer?' vroeg ik.

'Natuurlijk,' zei hij, en hij zette een paar stappen en wees met de punt van zijn pizza pepperoni naar het laatste huis in de volgende straat.

Ik klopte op de deur en er werd opengedaan door een man die er ook uitzag als een tachtigjarige. Wat ongeveer klopte. Cuthbert was nu tweeëntachtig; zijn verloren broer zou niet veel met hem schelen.

De oude man zei dat hij Albert Jackson heette. Ik vertelde hem dat er een man uit deze contreien genaamd Cuthbert Jackson erg beroemd was geworden in Frankrijk. En dat hij onlangs had verteld dat hij een broer had.

'Waarom zou hij dat doen?' vroeg Albert.

'Is het niet waar?'

'Op televisie willen ze altijd de waarheid, de hele waarheid en niets dan de waarheid.'

'Ik ben gewoon een journalist die u een vraag stelt.'

'Wat was de vraag?'

'Bent u de broer van Cuthbert Jackson?'

'Ja, dat ben ik,' zei Albert Jackson.

'Dat is mooi.'

'Is dat zo?'

'In de zin dat zijn onthulling correct blijkt te zijn. Toekomstige historici zullen niet op het verkeerde spoor gebracht worden. In Frankrijk, bedoel ik. Iemand heeft een heel boek geschreven over vijf woorden die hij heeft gezegd.'

'Ik heb hem meer dan zestig jaar niet gezien.'

'Wat weet u nog van hem?'

'Hij kon goed pianospelen.'

'Dacht u dat hij was gesneuveld in de oorlog?'

Albert schudde zijn hoofd. 'Hij heeft vaak tegen me gezegd dat hij zich overal naartoe zou laten sturen en dan zou blijven op de beste plek die hij tegenkwam. Hij zei dat ik dat ook moest doen als de oorlog nog lang duurde en ik ook opgeroepen werd.'

'Omdat je als zwarte man elders beter af was?'

'Voor een pianospelende zwarte man klopt dat misschien. Hoewel veel pianisten hier best succesvol zijn.'

'Heeft hij ooit iets van zich laten horen?'

'Eén keer. Ik schreef hem over iets, en hij schreef me terug.'

'Verbaasde het u dat hij niet meer terugkwam?'

'In het begin wel een beetje. Maar later niet meer zo.'

'Zou u me wat meer kunnen vertellen over jullie gezin?'

'Dat lijkt me hoog tijd.'

'Hoezo?'

'Jij denkt dat de onthulling klopt, maar dat is niet zo. Historici zullen het mis hebben. Ik weet niet waarom hij zei dat hij een broer had. Ik weet niet precies wat hij daarmee bedoelde. Ik heb misschien wat tijd nodig om erover na te denken.'

'Ik begrijp het niet. U zei toch dat u zijn broer bent?'

'Dat is ook zo.'

'Wat is dan het probleem?'

'In zijn biografie hoort te staan dat hij twee broers had.'

We gingen zitten, ik pakte mijn laptop en Albert begon te vertellen, maar zodra ik begreep waar zijn verhaal heen ging, vroeg ik hem even te stoppen, sloeg het Franse bestand op en opende een nieuw leeg document voor wat het echte verhaal zou worden. Ik herinner me het moment nog precies. Ik voelde me zoals journalisten zich moeten voelen.

Een zwarte boer met de naam Bertrand Jackson had drie zonen en drie dochters, allemaal dertig maanden na elkaar geboren, allemaal perfect verdeeld qua geslacht: eerst Cuthbert, de oudste jongen, die als kind pianospeelde en daarna de oorlog in ging en in Frankrijk bleef. De middelste zoon was Albert, die tegenover me zat en het verhaal vertelde, en de jongste was Robert. De meisjes tussen hen in waren engeltjes. Hun moeder was gelukkig. Het land was vruchtbaar. Het ging de boer voor de wind. Hij voelde zich een man van aanzien. Op alle gebieden geslaagd. Hij had maar één probleem. Zijn jongste zoon Robert was een beetje traag van begrip. Hij lachte altijd en was altijd vriendelijk, maar hij was ongeschikt voor het werk op de boerderij. Dat was niet erg. De anderen compenseerden dat.

Toen maakte de boer een fout. Omdat hij zich een man van aanzien voelde, probeerde hij zich te laten registreren om te kunnen stemmen bij de presidentsverkiezingen. Hij beschouwde het als zijn burgerplicht. Hij bleef het lange tijd proberen voordat hij het uiteindelijk opgaf. Toen zei een ambtenaar dat hij het nooit meer moest proberen. De sfeer werd vijandig. Hij vermoedde dat de mensen jaloers op hem waren omdat zijn boerderij floreerde. Misschien vonden ze het maar niks. November ging over in december. Intussen had de boer een baantje voor Robert geregeld in de winkel waar hij zijn zaden kocht. De eigenaar was een witte man. Soms werkte zijn dochter achter de kassa. Kerstmis stond voor de deur, dus Robert schreef haar een kaart. Hij deed er heel erg zijn best op. Hij schreef: *ik hoop dat je mij ook een kaart stuurt.* Haar pa zag het en liet de kerstkaart aan zijn vrienden zien, en al snel zat er een lynchmeute achter Robert aan vanwege zijn walgelijke interraciale suggestie. Hij moest aan de oever van een rivier gaan staan, handen en voeten vastgebonden. Zijn vader, de boer, moest toekijken. Robert werd voor een keuze gesteld. Hij kon zichzelf van de oever werpen, of ze zouden hem ervan af schieten. Hoe dan ook, hij zou in het water belanden. Hij zou verdrinken. Daar was niets meer aan te doen. Robert zei: 'Papa, help,' en de boer zei: 'Het spijt me, jongen, ik kan je niet helpen, want ik heb nog vier kinderen thuis, en een boerderij, en je moeder.' Robert liet zichzelf in de rivier vallen. Daarna kwam dezelfde ambtenaar langs en hij zei: zie je nu wat er gebeurt? Hij zei: stemmen is niets voor jou.

Albert zei dat hij Cuthbert alles had verteld, tot in detail, in een lange brief. Dat het niet eens de lokale krant had gehaald. Dat de provinciale politie het afdeed als een geval van een ongehoorzame jongen die nog zo gewaarschuwd was om niet te gaan zwemmen. Cuthbert schreef terug vanuit Parijs, somber maar gelaten. En ongeduldig. Ze hadden meegestreden in de oorlog. Hoe lang zou deze ellende nog doorgaan? Daarna was Albert niet langer verbaasd dat zijn broer niet thuiskwam.

Ik reed weer driehonderd kilometer terug, deed een dutje op de passagiersstoel toen ik moe werd en reed daarna weer verder. Ik popelde om aan de slag te gaan. Maar toen ik wilde beginnen, lukte het niet. Ethisch gezien behoorde het verhaal toe aan het Franse tijdschrift. Maar ik wilde ze het verhaal niet geven. Of aan welk ander land dan ook. Ik wist niet precies waarom. Misschien omdat ik niet de vuile was buiten wilde hangen.

Samen overwinnen we, verdeeld zullen we ten onder gaan. Clichés waren niet voor niets clichés. Ik vond mezelf een waardeloze journalist.

Toen realiseerde ik me dat Cuthbert Jackson dezelfde keuze had gemaakt. In al die politiek beladen jaren. Hij was inderdaad Socrates. Hij had een vernietigend verhaal kunnen vertellen. Hij had zijn ballingschap gigantisch kunnen uitbuiten. Maar dat deed hij niet. Hij heeft nooit een woord over Robert gezegd. Ik vroeg me af of hij precies wist wat de reden daarvan was. Ik wilde het hem vragen. Even vroeg ik me af of ik van het tijdschrift naar Parijs zou mogen vliegen.

Uiteindelijk bleef ik thuis en zette ik de informatie puur als informatiekadertje op papier. Ik schreef inderdaad iets als: trouwens, monsieur Jackson heeft een broer, dit is waar hij woont, dat is wat hij doet. Ik kreeg genoeg betaald om mijn vrienden mee uit eten te kunnen nemen. We spraken de hele avond over Cuthberts zwijgen, maar kwamen niet tot een conclusie.

Shorty en de koffer

De legendarische week van Shorty Malone begon op maandag, toen hij in de loods van een afvalverwerkingsbedrijf door een kogel in zijn been werd geraakt. Zijn team ging door de voordeur naar binnen, een ander team door de achterdeur, met het vage plan om een man te omsingelen van wie ze wisten dat hij zich ergens tussen de geparkeerde vuilniswagens had verstopt. Vervolgens begon iemand te schieten, en binnen een fractie van een seconde was iedereen aan het schieten. Volgens het officiële verslag werden er die dag door de politie negentig kogels afgevuurd. Er vielen geen doden, zelfs de man die zich had verstopt bleef ongedeerd. Die enige die geraakt werd, was Shorty, door een ongelukkig afgeketste kogel. Uit latere reconstructies bleek dat de kogel van een collega-agent de zijkant van een autoband had geschampt en vervolgens op de chassisrail van een andere vrachtwagen was afgeketst. De kogel was daarna flink vervormd en had veel van zijn snelheid verloren. Hij raakte

Shorty uiteindelijk in zijn scheenbeen, ongeveer zo hard als een klap met een bolhamer. Hij doorboorde de huid en veroorzaakte een scheur in het bot. Shorty werd onmiddellijk naar het ziekenhuis gebracht.

Daarna werd het ongemakkelijk. Het was moeilijk om veel enthousiasme op te brengen over wat er gebeurd was. Shorty werkte ongeveer een jaar bij de recherche, dus hij was geen groentje meer, maar hij was ook geen doorgewinterde veteraan. Hij stelde niet veel voor. Bovendien was het incident technisch gezien een geval van eigen vuur. Het werd zelfs betwijfeld of de man die zich schuilhield überhaupt gewapend was geweest. Daarnaast ging er een gerucht dat het sowieso de verkeerde man was, mogelijk zijn broer. Het overheersende gevoel was dus dat de hele zaak maar beter vergeten kon worden. En dat was moeilijk voor Shorty. Normaal gesproken zou een neergeschoten agent met het grootste respect worden behandeld. Normaal gesproken zou Shorty in de schijnwerpers staan en was een handvol goedbedoelende stakkers op internet geld voor hem aan het inzamelen. Shorty had dan op een aardig bedrag kunnen rekenen. Misschien zelfs genoeg voor een studiefonds.

Maar hij kreeg amper aandacht. Op dinsdag kregen we allemaal nieuwe taken toegewezen. Als een manier om het incident te vergeten. Natuurlijk, in het verleden zijn er misschien weleens fouten gemaakt. Maar dat was toen. We zijn nu een stuk verder. Nu kijken we vooruit. We waren allemaal gefocust op het leren van onze nieuwe taken, en als gevolg daarvan ging niemand meer bij Shorty in het ziekenhuis op bezoek, behalve zijn vriendin Celia Sandstrom, die net als hij een onopvallende nieuwkomer was, maar dan leuker om te zien, behalve als ze haar kogelvrije vest droeg. Blijkbaar kwam ze vaak langs in het ziekenhuis, en blijkbaar hield ze Shorty op de hoogte van alles wat er gebeurde. En wat er niet gebeurde.

We werden toegewezen aan de Narcoticabrigade. Eerdere strategieën waren niet afdoende gebleken. Het was tijd om die af te sluiten. Tijd om verder te gaan. Net zoals wij dat hadden gedaan. Dus mocht iemand ooit een eerdere blunder aanhalen, dan konden we allemaal onze neuzen optrekken en zeggen: 'Hoezo begin je daar nu nog over?' Zoals je vriendin, als je tegen haar zegt dat die trui van gisteren haar goed stond.

Dus de Narcoticabrigade begon ook opnieuw, net als onze afdeling, en ze begonnen meteen ook met een nieuwe, veelbelovende strategie: ze stopten met het volgen van de coke en begonnen met het volgen van het geld. En daar was mankracht voor nodig.

In de drugshandel werkte men met contant geld. Contant geld stroomde als een rivier. Ze wilden weten waar het geld naartoe ging. En hoe dat gebeurde. Sommige dingen wisten ze al. Andere dingen begrepen ze niet. Ze wilden dat wij dit zouden observeren. We moesten met name een man in de gaten houden die regelmatig een koffer uit Jersey kwam afleveren. Hij maakte de reis gewoonlijk twee keer per week. Ze namen aan dat de koffer vol bankbiljetten zat. Misschien een grote betaling of een deel van de winsten. Geld dat van het ene niveau van de piramide naar het volgende werd doorgesluisd. Ze zeiden dat een gemiddelde koffer een miljoen dollar kon bevatten. Ze zeiden dat het om een fysieke transactie ging, omdat geld pas elektronisch werd als het op een bank stond. En dat was met contant geld nog niet het geval. De term verraadde het al, zeiden ze. Ze zeiden dat het onze taak was om in te schatten hoe waarschijnlijk het was dat we de daadwerkelijke levering van het geld konden observeren. Dan zouden we twee vliegen in één klap slaan. En een cruciale schakel in de keten ontwrichten. Het was een spannende klus. Geen wonder dat niemand meer aan Shorty dacht. Behalve Celia. Waarschijnlijk heeft ze hem nog diezelfde dag over onze opdracht verteld, want dat moet ongeveer het moment zijn geweest dat Shorty begon na te denken.

De man met de koffer was een oudere heer. Een persoon van aanzien. Met een verzorgde, chique uitstraling. Een zeer vooraanstaand figuur. Zijn aanwezigheid alleen al gaf blijk van diep respect. En hij had een miljoen dollar bij zich. De koffer was van metaal. En van een of ander luxe merk. Hij liep ermee over de stoep alsof er niets aan de hand was, richting de deur van een ouderwets kantoorgebouw. Hij ging met de koffer naar binnen. Tien minuten later kwam hij zonder de koffer weer naar buiten. We zagen dat het precies zo ging als in het rapport beschreven stond.

Het kantoorgebouw had een kleine, beveiligde lobby. Op het bord stonden twintig huurders. Allemaal nietszeggende bedrijfsnamen. Veel import en export. Zonder twijfel met een goed geoliede tamtam. Met allerlei vroegtijdige waarschuwingssystemen. Vragen stellen was zinloos. We schreven een rapport en leverden het in. Onze nieuwe bazen waren niet tevreden. Ze protesteerden.

'We moeten weten naar welk kantoor hij precies gaat,' zeiden ze.

'We komen niet voorbij de balie,' zeiden we.

'Doe alsof jullie van de technische dienst zijn.'

'Ze hebben geen technische dienst.'

'Gebruik dan je politiepenning.'

'De boeven zouden al via de brandtrap ontsnapt zijn voordat in de lobby de liftdeur voor ons opengaat. De beveiliger bedient hem waarschijnlijk met een voetpedaal.'

'Geef hem honderd dollar.'

'De boeven geven hem vijfhonderd.'

'Zijn jullie überhaupt van plan om íéts te doen?'

'Het is onze eerste dag, baas. We hebben instructies nodig.'

Naderhand zei Celia dat Shorty dacht dat we iets over het hoofd zagen. Hij wist niet wat. Hij lag op zijn rug met zijn been in tractie. Wat niet medisch noodzakelijk was, maar de vakbond dacht dat het een betere foto voor in de krant zou opleveren. Shorty maakte zich zorgen om ons, zei Celia. Hij miste ons.

'Shorty? Wie is Shorty?' zeiden we.

Toen we woensdagochtend binnenkwamen was de zaak met de luxe koffer zoals verwacht al niet meer zo urgent. De verwachtingen werden met terugwerkende kracht naar beneden bijgesteld. Het was degelijke informatie, een stukje van de puzzel, precies zoals de bedoeling was, en niet meer dan dat.

Maar nog voordat de koffie klaar was, kwam de zaak weer bovenaan de agenda te staan. Er kwam nieuw bewijs binnen, uit een andere hoek, en het wees naar hetzelfde kantoorgebouw. Naar een specifieke huurder. Ze wisten zeker dat de genoemde persoon vanuit het kantoorgebouw geld aan het versturen was.

Nu wilde ze de cirkel rond maken. Ze wilden zien hoe dat geld het gebouw in kwam. Ze wilden iemand in het kantoor van de genoemde persoon hebben. Ze wilden een ooggetuige die zou beschrijven hoe de oudere heer de koffer op een tafel legde, hoe een andere man hem misschien naar zich toe zou draaien en de sluitingen met zijn duimen open zou klikken. Als we dichtbij genoeg konden komen om het geld in beslag te nemen, dan zou dat de kers op de taart zijn.

Naderhand zei Celia: 'Shorty zegt dat dat natuurlijk allemaal onmogelijk is.'

'We hebben geen door een ziekenhuisgang galmende onheilstijding nodig om dat te begrijpen. Natuurlijk is het allemaal onmogelijk.'

'Dus wat moeten we doen?'

'Niets. Misschien plaatsen ze ons over naar Zedenzaken. Dat zou zo slecht nog niet zijn.'

Maar Shorty's opmerking herinnerde ons aan Shorty's vorige opmerking, van dinsdagmiddag, de opmerking die geen enkele rechercheur graag hoort, namelijk dat we iets over het hoofd zagen.

Niemand zei het hardop, maar ik weet dat we allemaal stiekem voor onszelf alle informatie – van begin tot eind, in de originele dossiers en handgeschreven aantekeningen – nog eens hebben gecontroleerd.

De man reed vanuit Jersey in zijn eentje, zonder chauffeur, in een mooie maar onopvallende auto door de Lincoln Tunnel, en vervolgens richting het zuiden, naar een parkeergarage in de West Twenties die het dichtst bij het ouderwetse kantoorgebouw lag. Een kleine man met een zwarte gilet en een vlinderdas parkeerde de auto nadat de man met de koffer was uitgestapt en aan de wandeling over de stoep begon. De wandeling eindigde altijd anderhalve straat verderop in de lobby van het kantoorgebouw, waar hij na een respectvolle maar formele controle met een hoofdknik langs de balie werd gelaten. Elke keer bleef hij een minuut of tien binnen, en elke keer kwam hij met lege handen weer naar buiten. Dat waren de feiten. Dat was wat we zeker wisten.

Celia deed alsof ze helemaal niet over de kwestie had nagedacht, maar zei later: 'Shorty weet zeker dat er iets niet klopt.'

Dat wilden we op dat moment niet horen, want de inzet was zojuist nog hoger geworden. Er waren nog een paar puzzelstukjes op hun plaats gevallen. Plotseling beseften de hoge pieten dat ze de hele keten in één keer konden uitschakelen. Het zou de arrestatie van het jaar zijn. Het zou medailles opleveren. Stemmen voor de burgemeester. De hele santenkraam.

Maar het bewijs moest waterdicht zijn. Elke schakel in de keten moest onbetwistbaar zijn om stand te houden voor de rechtbank. Bewijs was cruciaal.

We zeiden dat dat niet zou lukken. Dat we de man gewoon op straat moesten arresteren, voordat hij het kantoorgebouw bereikte, wanneer het geld nog in zijn koffer zat. Omdat het juridisch gerechtvaardigd was om aan te nemen dat hij op weg was naar die genoemde persoon in de onbekende kantoorruimte. Waar zou hij anders heen gaan? Dat was net zo sterk als het observeren van een transactie. Feitelijk hetzelfde, maar dan in een eerder stadium. Een ander moment. Een eerdere scène uit dezelfde film.

Niets is zo overtuigend als geen alternatief hebben, dus gingen ze akkoord. We wachtten in een briefingkamer op een telefoontje uit Jersey. De plaatselijke politie daar hield de woning van de man in de gaten. Als hij in de richting van de tunnel wegreed, zouden ze ons direct een seintje geven. Het was meestal druk op de weg. We zouden genoeg tijd hebben. Geen reden tot haast.

Maar het telefoontje kwam niet. Niet op woensdag en niet op donderdag. Het kwam op vrijdag. Een fris agentje uit de voorsteden liet ons weten dat de man in zijn mooie maar onopvallende auto onderweg was, en dat hij in de richting van Manhattan leek te rijden. Celia was op dat moment niet bij ons in de kamer. Toen ze even later binnenkwam, vertelden we haar over het telefoontje.

'Shorty zegt dat we op het verkeerde spoor zitten,' zei ze.

Dat wilden we op dat moment niet horen, want we probeerden onszelf op te peppen om de man op straat te arresteren. Maar ze bleef erover doorgaan. Ze zei dat Shorty daar maar lag en alle tijd had om na te denken. We moesten naar hem luisteren. We waren in tweestrijd. Aan de ene kant was Celia lid van ons team. Ze mocht dan niets voorstellen, maar ze was een van ons. En dat gold ook voor Shorty. Aan de andere kant ging het hier om de arrestatie van het jaar. Medailles en stemmen voor de burgemeester. Dat mochten we niet op het spel zetten door een eigen koers te gaan varen. Niemand wilde degene zijn die het verknoeide.

'Geloven we echt dat het juridisch overtuigend is om hem op straat aan te houden met een koffer vol geld?' vroeg Celia.

'Ja, toch?' zeiden we. 'Lijkt me wel. Overtuigend genoeg, waarschijnlijk.'

'Zou zijn advocaat zich zorgen maken?'

'Een beetje. Maar hij zou niet van een flat springen.'

'Hoe dan ook levert het een enorm gedoe op, toch?' zei ze. 'Een miljoen dollar in cash. De belastingdienst zou zich ermee bemoeien. Misschien zelfs het ministerie van Financiën. Waarom het risico nemen? Waarom loopt hij zo openlijk met die koffer over straat?'

'We weten dat het geld van A naar B gaat,' zeiden we. 'We weten dat de man in het kantoorgebouw het ontvangt. Hoe zou hij het anders ontvangen, als het niet van onze man is? Niemand anders gaat het gebouw in en uit. En mensen hebben van alles bij zich in deze stad. Ze lopen rond met koffers vol diamanten die nog veel meer waard zijn dan het miljoen van onze man.'

'Shorty denkt dat het een valstrik is. Hij denkt dat de koffer leeg is. Ze brengen ons op een dwaalspoor. Ze willen dat we de man arresteren. Ze willen niets liever. Het is hun plan. Ze willen dat we de koffer opendoen en zien dat hij leeg is. Shorty zegt dat we voor gek zullen staan. Dat we nooit meer bevelschriften zullen krijgen en dat rechters ons vierkant zullen uitlachen. Dan kunnen die jongens jarenlang hun gang gaan. Dan hebben ze gewonnen.'

'De ene man geeft geld aan de andere man,' zeiden we. 'Dat staat vast. Dat is een feit. Want het gaat om een keten. Er zijn veel mensen die erop rekenen dat wij onze taak nu correct uitvoeren. We hebben bewijs nodig.'

'Dat kunnen we ook krijgen,' zei ze. 'Maar niet op straat. Daar vind je geen bewijs. Shorty zegt dat het klopt, de ene man geeft geld aan de andere man. Maar niet op de plek waar we denken.'

'Waar dan?'

'In de parkeergarage. De man laat het geld achter in de kofferbak van zijn auto. Misschien in een supermarkttas. De parkeerwachter haalt de tas eruit en legt hem in de auto van de andere man. Die auto staat daar altijd omdat de garage vlak bij het kantoorgebouw is. De echte transactie gebeurt uit het zicht. Iedereen staart zich blind op die glimmende koffer.'

Niemand zei iets.

'Shorty zegt dat het een win-winsituatie voor ons is,' zei Celia. 'We kunnen razendsnel de auto controleren als de man is uitgestapt, en als de kofferbak leeg blijkt dan kunnen we achter de man aangaan en hem alsnog arresteren, zoals van ons verwacht wordt. Shorty zegt dat we niets te verliezen hebben.'

De telefoon ging opnieuw. De politie van het Havenbedrijf, bij de ingang van de tunnel aan de kant van Jersey. De man was zojuist de tolpoorten gepasseerd. We kwamen in actie. We wachtten in de parkeergarage.

Niets te verliezen.

Shorty had gelijk. Het geld zat verstopt in een gele plastic boodschappentas in de kofferbak van de auto van onze man. Als bewijs was het geweldig, beter kon haast niet. Het was van doorslaggevend belang voor de grootste arrestatie van het jaar. In het bijzijn van Celia voelden we ons geremd om met de eer voor dit succes te gaan strijken, dus we vertelden meestal de waarheid, en daardoor kwam al snel het verhaal naar buiten over een heldhaftige agent die op maandag in zijn been was geschoten, en op vrijdag vanuit zijn ziekenhuisbed, creperend van de pijn, had gezorgd voor een van de meest spectaculaire triomfen van zijn nieuwe afdeling, puur en alleen op hersenkracht. Hij kreeg een medaille voor zijn been en nog een voor de parkeergarage, en toen kwam hij in de krant, wat hem legendarisch maakte. De vakbond had gelijk over de foto. Die hielp enorm.

Roken is dodelijk

Het verslag van de producent kwam binnen. De scenarioschrijver zag de e-mail op zijn telefoon. In de onderwerpregel stond 'Verslag'. De telefoon was zo ingesteld dat je de eerste paar woorden van het bericht kon lezen, namelijk: 'Nogmaals bedankt dat je tijd kon vrijmaken voor de lunch vandaag.' De scenarioschrijver wendde zijn blik af. Hij opende de e-mail niet. Las niet verder. In plaats daarvan ging hij op de bank zitten, kaarsrecht, zo stijf als een plank, met zijn handen naast zijn knieën op de kussens.

Zijn vrouw ging bij hem op schoot zitten. Ze was net een uur terug van de schoonheidssalon en droeg nog haar middagkleding, een crèmekleurige zijden blouse op een marineblauwe linnen rok die als ze stond tot net over de knie viel, maar die als ze zat, zeker bij iemand op schoot, iets opkroop. Onder haar kleren droeg ze niets. Ze vroeg zich af of hij het opmerkte. Waarschijnlijk niet, dacht ze. Nog niet. Hij was elders met zijn gedachten. Ze stak een sigaret op en stopte die tussen zijn lippen.

'Dank je,' zei hij.

'Vertel eens over de lunch?' vroeg ze.

'Hij kwam met drie van zijn managers. Minstens één van hen was volgens mij een financiële man.'

'Hoe ging het gesprek?'

'Precies zo slecht als ik al vreesde.'

'Echt waar?'

'Zo ongeveer wel, ja,' zei hij. 'Misschien nog wel slechter.'

'Heb je dat verhaal nog gehouden?'

'Welk verhaal?'

'Over doodgaan.'

'Het is maar een zin. Een inleiding. Niet echt een verhaal.'

'Maar heb je het gezegd?'

Hij knikte, gespannen, nog een beetje opstandig.

'Ik zei dat ik jarenlang de brave werkezel heb uitgehangen, dat ik altijd heb geschreven wat hij wilde, zo snel als hij wilde, soms zelfs last-minute als de camera al draaide. Ik zei dat ik hem nooit heb teleurgesteld en dat ik hem miljoenen dollars heb opgeleverd. Dat ik het toch wel had verdiend om mijn eigen koers te mogen varen met dit project. Omdat ik eindelijk dat ene gouden idee had gekregen dat een mens maar eens in zijn leven krijgt. Ik zei dat ik nog liever doodga dan dat ik het laat verpesten.'

'Dat verhaal bedoel ik.'

'Het is maar een woord.'

'Met een lange aanloop.'

'Het is inderdaad een sterke inleiding.'

'Hoe reageerde hij?'

'Dat weet ik niet zo goed. Ik ging naar buiten om te roken. Hij reageerde oké toen ik terugkwam. Hij zei dat hij het eerst raar vond dat ik zijn probleem niet begreep, maar dat ik hem aan het denken had gezet en dat ik misschien toch gelijk had en hij niet.'

'Wat was zijn probleem?'

'Het is toch van meet af aan zo geweest dat het scenario over het Britse leger in de Eerste Wereldoorlog gaat? Vanaf het moment dat ik het idee kreeg. Jij was de eerste wie ik erover vertelde.'

'Je bedoelt waarschijnlijk je vorige vrouw. Of een paar vrouwen daarvoor. Het idee was al helemaal uitgedacht toen ik in beeld kwam.'

'Is het scenario ooit over iets anders gegaan dan het Britse leger in de Eerste Wereldoorlog?'

'Sprak dat ze niet aan?'

'Hij zei dat de studio vroeg of het een film over mensen in een Engels landhuis was.'

'En wat antwoordde hij daarop?'

'Hij zei dat er misschien mensen uit Engelse landhuizen in voorkwamen, maar dat het verhaal zich natuurlijk niet in een landhuis afspeelde, maar in de loopgraven in Frankrijk, of België, of waar ze verder ook loopgraven hadden.'

'En dat is dus een probleem?'

'Hij zei dat de studio denkt dat de Burgeroorlog het publiek meer zal aanspreken. Omdat het over Amerikanen gaat.'

'Ik begrijp het.'

'Ik wees hem erop dat een van de belangrijkste verhaallijnen over een piloot gaat. In de tijd dat de technologie nog in de kinderschoenen stond. Een grote metafoor. Dat deel zou op geen enkele manier geschrapt of aangepast kunnen worden. Ik wees hem erop dat vliegtuigen nog niet uitgevonden waren tijdens de Burgeroorlog.'

'Volgens mij hadden ze wel heteluchtballonnen.'

'Dat is iets heel anders. Een heteluchtballon levert automatisch een trage scène op. Het gaat juist om snelheid, kracht, lawaai, razernij. Je moet voelen dat je aan de vooravond staat van iets nieuws en gevaarlijks.'

'Wat zei hij toen?'

'Hij zei dat het idee van de studio inderdaad nergens op sloeg. Dat hij het alleen doorgaf omdat het van hogerhand kwam. Dat hij het niet serieus had genomen. Geen seconde. Hij stond volledig aan mijn kant. Niet alleen vanwege de vliegtuigen, maar ook wat de ideeën van de personages betreft. Die zijn veel te modern. Het verhaal speelt zich vijftig jaar na de Burgeroorlog af. De personages weten dingen die mensen vijftig jaar eerder nog niet wisten.'

'Hij heeft gewoon gelijk, weet je. De ideeën zijn inderdaad modern. Dat is dus overgekomen, zelfs bij hem. Dat betekent dat je een geweldige prestatie hebt geleverd, schat.'

'Dat zei hij ook. Minus schat. Hij vond het het beste wat ik ooit heb geschreven. Hij zei dat ik dingen in vier woorden kan zeggen waar andere schrijvers een hele alinea voor nodig hebben. Hij zei dat het verhaal overtuigend is, zelfs voor een cynische oude rijke stinkerd als hij, en dat de gedachten van mijn personages op een geloofwaardige manier gestalte geven aan de naoorlogse wereld.'

'Vleiend.'

'Zeer.'

'Hij heeft gewoon gelijk, weet je,' zei ze opnieuw. 'Het klopt ook. De naoorlogse wereld is gebouwd op nieuwe ideeën, en die ideeën zijn onvermijdelijk tijdens de oorlog ontstaan. Maar het is fantastisch om de geschiedenis voor je ogen tot leven te zien komen. Het wordt een klassieker. Kanshebber voor Beste Film.'

'Behalve dat de naoorlogse wereld waar hij het over had, de periode na de Tweede Wereldoorlog was. De jaren vijftig, om precies te zijn. Hij vindt dat het verhaal zich beter tijdens de Koreaoorlog kan afspelen. Omdat het over Amerikanen gaat. In schuttersputten, niet in loopgraven. Schuttersputten lijken hem geschikter. Ze creëren automatisch een intiemere setting. Een reden om een scène met slechts één of twee acteurs te filmen. Geen figuranten. Geen gedoe met achtergronden. Bespaart handenvol geld. Hij zei dat één of twee mannen in een loopgraaf er vreemd uit zou zien. Dan vraag je je af: wie zijn dat en wat doen ze daar? Hebben ze hun snor gedrukt? Hebben ze mazzel en mogen ze achterblijven om de wacht te houden? Of wat? Hoe dan ook, hij denkt dat we in dat geval tekst zouden moeten verspillen aan uitleg. Dat we de personages op zijn minst zouden moeten laten zeggen: nee, we hebben niet onze snor gedrukt. Het zou niet meevallen om sympathie voor hen op te wekken. Maar mannen in een schuttersput behoeven geen uitleg; ze zoeken dekking. Misschien zijn ze met zijn tweeën. Ze zijn samen in de put gedoken, misschien een bomkrater. Misschien zitten ze erg dicht op elkaar en beginnen ze zich meteen aan elkaar te ergeren. Ze moeten een manier vinden om met elkaar overweg te kunnen. Hij vond dat de moderne en futuristische elementen van de ideeën niet zouden passen in de context van de Eerste Wereldoorlog. Maar wel in de jaren vijftig. Hij zei dat we de verhaallijn met de vliegtuigen konden behouden. De technologie van straaljagers stond nog in de kinderschoenen. Er heersten dezelfde soort spanningen. Het enige wat we hoefden te veranderen, was de man een modernere helm geven. De teksten kunnen hetzelfde blijven. Hij zei dat sommige dingen nooit veranderen. Sommige waarheden zijn tijdloos.'

'Hoe reageerde je?'

'Ik liet blijken dat ik er goed de smoor in had, en toen ging ik weer naar buiten om te roken.'

'Hoelang bleef je weg?'

'Ik weet het niet. Tien minuten? Misschien iets langer. Het is een groot restaurant. Van de tafel naar de lobby is al een heel eind lopen.'

'Je moet niet steeds weggaan. Als je er niet bij bent, praten ze natuurlijk over je, aan die tafel. Hij en zijn clubje.'

'Volgens mij zaten ze te bellen. Ze waren duidelijk met meerdere dingen tegelijk bezig. Waarschijnlijk waren ze de dromen van nog een paar andere schrijvers aan het verpesten. Zodra ik binnenkwam, beëindigden ze hun gesprek en keken een beetje betrapt.'

'Ik zou maar oppassen.'

'Het maakt niet uit als ze over me praten. Ze kunnen me nergens toe dwingen. Dit is mijn project. Ik kan er ook ergens anders mee naartoe gaan.'

'Waarheen dan?'

De scenarioschrijver antwoordde niet.

Zijn vrouw nestelde zich tegen hem aan. Ze drukte haar borst tegen de zijne. Geen bh. Ze vroeg zich af of hij het al merkte. Dat kon bijna niet anders. Zij voelde het in elk geval wel. Alleen een dun laagje zijde.

'Misschien heeft hij gelijk over de schuttersputten,' zei ze.

'Mijn punt is dat de loopgraven de hele structuur van de Engelse samenleving weerspiegelde. De officieren hadden bedienden en aparte kwartieren. Het was een microkosmos. Dat hebben we nodig om het verhaal aan op te hangen. Als raamwerk voor de hele film.'

'Maar een schuttersput kan net zo goed de Amerikaanse samenleving weerspiegelen. Een beetje snel en smerig, een beetje vluchtig. Twee rekruten die het met elkaar moeten zien te rooien. Als een metafoor op zich. Misschien is een van hen wel van Harvard of Princeton geplukt en is de andere een straatjongen uit Boston of The Bronx. In het begin hebben ze niets gemeen.'

'Cliché.'

'Dat is een landhuisdrama in de modder ook. En ook daar kon je een geloofwaardig verhaal van maken. Jij kunt overal een geloofwaardig verhaal van maken.'

'Dat was nog niet het ergste wat hij zei,' zei hij.

'Wat dan wel?'

'Hij zei dat de held geen eenling kan zijn. Hij zei dat hij vanaf de eerste scène een maat moet hebben.'

'Echt waar?'

'Hij zei dat hij het eigenlijk meer voor zich zag als een buddymovie in Korea. Mijn scenario had volgens hem het juiste hart, maar in het verkeerde lichaam. Voor hem ging het verhaal niet over een Engelsman, maar over twee Amerikanen. Hij zei dat schrijvers soms zelf niet goed begrijpen wat ze precies geschreven hebben.'

'Wat zei je toen?'

'Niets, ik was sprakeloos. Ik ging nog een sigaret roken.'

'Hoelang bleef je toen weg?'

'Weer een minuut of tien. Misschien wat langer. Maar maak je geen zorgen. Wat viel er te bespreken? Toen bekroop me ineens de gedachte dat ik de situatie verkeerd had begrepen. Ik vond dat ze me iets verschuldigd waren omdat ik zo hard voor ze had gewerkt. Terwijl zij vonden dat ze me iets heel anders verschuldigd waren, namelijk het respect om me niet recht in mijn gezicht uit te lachen en de film meteen van tafel te vegen. Ze zochten een beleefde manier om eronderuit te komen. Ze hoopten stiekem dat ik mijn voorstel zelf introk. Dat zou voor iedereen het minst gênant zijn. Ze zouden artistieke meningsverschillen als reden kunnen aanvoeren. Daarom probeerden ze mijn idee kapot te praten. Ze probeerden me zover te krijgen dat ik het opgaf.'

'En gaf je het op?'

'Wat ik dacht, bleek niet te kloppen. Ze waren bloedserieus. Ik ging weer naar binnen en bracht hun in herinnering dat we hadden afgesproken dat er nooit, op geen enkele manier, aan de artistieke visie getornd zou worden, maar dat het nu opeens over twee vrienden in Korea moest gaan. Maar hij onderbrak me en zei: dat klopt ook, maak je geen zorgen, hij begreep het. Hij zei dat ik niet moest vergeten dat in de filmindustrie elk idee een beetje averij opliep als het uit de koker van de schrijver kwam en met de werkelijkheid werd geconfronteerd. Zelfs de beroemdste scenario's, die op de filmacademie bestudeerd worden. Soms voegde de koffiejuf er een paar zinnetjes aan toe. Het ging om wat er die dag werkte.'

'Wat zei je toen?'

'Niets.'

'Je ging toch niet weer naar buiten?'

'Dat wilde ik wel. Ik wilde laten merken dat ik het er niet mee eens was. Maar ik hoefde niet per se naar buiten. Dus bleef ik aan tafel zitten. Hij vatte het op als een aanmoediging om te blijven praten. Hij zei dat ik de film kon terugclaimen door een geweldige sterfscène te schrijven.'

'Terugclaimen?'

'Dat ik het scenario weer helemaal van mij kon maken.'

'Wiens sterfscène?'

'Van de kameraad. De held moet natuurlijk alleen zijn in de laatste fase van zijn reis. Dus de vriend moet weg, rond bladzijde negentig ongeveer. Hij zei dat hij zeker wist dat ik er iets geweldigs van kon maken. Niet alleen van de sterfscène zelf, maar van het hele verhaal erachter. Wat dreef de vriend naar zijn ondergang?'

'Wat zei je toen?'

'Niets. Mijn hoofd tolde. Eerst werd er een totaal onnodig tweede personage mijn film in geschoven, waardoor het feitelijk niet eens meer mijn film was, en toen werd me verteld dat ik de film kon terugclaimen door die indringer eruit te schrijven. Het leek me buitengewoon Freudiaans. Maar hij had er het volste vertrouwen in dat ik het klaar zou spelen. Hij zei dat het mijn beste werk ooit zou worden. Wat ironisch zou zijn. Misschien zou ik een speciale prijs krijgen van de Schrijversvereniging voor "Beste sterfscène van een door de producent opgelegd personage".'

'En wat gebeurde er toen?'

'Ik ben opgestapt. Ik heb het dessert overgeslagen en ben naar huis gegaan.'

'Daar ben ik blij om,' zei ze. Ze kroop dicht tegen hem aan. 'Maar ik vind het wel jammer dat de wereld die scène nooit te zien zal krijgen. Het zou geweldig zijn geworden, daar had hij in elk geval gelijk in. Een grootse opoffering. Zo'n scène die je nooit meer vergeet.'

'Nee,' zei hij. 'Niets groots. Ik denk dat ik het juist klein zou houden. De grote dingen zijn al gebeurd. De vriendschap is gesmeed. De laatste scène zou denk ik in de schuttersput moeten plaatsvinden. De twee mannen samen. Ze zijn zover gekomen door sterk te zijn. Nu zal de kameraad sterven vanwege een zwakte. Dat is de dynamiek. Zo zouden oorlogsfilms in elkaar moeten zitten. Persoonlijkheden onthullen zich in de grote dingen en daarna in de kleine dingen.'

'Wat voor zwakte bedoel je?'

'Vergeet niet dat het verhaal in de jaren vijftig speelt. Zelfs de studio wil het verhaal niet naar het heden trekken. Mensen rookten in die tijd. Ook de kameraad. Nu zit hij in de schuttersput en heeft geen sigaretten meer. Hij wordt onrustig. Met personages die roken wordt het sowieso een film voor volwassenen, dus we kunnen twintig meter verderop het verminkte lichaam van een andere kameraad in beeld brengen, van wie de vriend weet dat hij weleens rookt, wat vrijwel zeker betekent dat er nog een bijna vol pakje sigaretten in zijn zak zit.'

'Twintig meter vanaf de schuttersput?'

'En er is een vijandelijke sluipschutter in de buurt.'

'Gaat hij de sigaretten halen?'

'Ja, dat doet hij,' zegt de scenarioschrijver. 'Twintig meter heen, twintig meter terug. De sluipschutter krijgt hem te pakken. Het is klein en tegelijk monumentaal. De man wilde een sigaret roken. Dat was alles. Een kleine menselijke zwakte. Maar het illustreert ook zijn vastberadenheid om te leven op zijn voorwaarden, of anders helemaal niet. Dat verklaart ook zijn eerdere acties. We leren hem pas echt goed kennen op het moment van zijn dood.'

'Wat mooi,' zei zijn vrouw.

Ze omhelsde hem en drukte haar billen tegen hem aan. 'Dus het maakt uiteindelijk niet zoveel verschil, toch? Engelse accenten in 1916 of Amerikaanse accenten in 1952. Maakt het echt uit?'

Hij antwoordde niet. Hij had het opgemerkt.

Twee jaar en zeven maanden later kwam de film uit. Die ging niet over het Britse leger in de Eerste Wereldoorlog. Het scenario was op alle mogelijke manieren aangetast. De scenarioschrijver sprong niet voor de trein. In plaats daarvan verhuisde hij, naar een hoger deel in de canyon. En acht maanden later won de kameraad een Oscar. Beste mannelijke bijrol. In zijn speech bejubelde de acteur het geweldige script. Een uur later won de scenarioschrijver zelf een Oscar. Beste originele scenario. In zijn speech bedankte hij zijn vrouw en zijn producent, zijn twee rotsen in de branding. Toen hij van het podium stapte, hief hij het beeldje als een zware halter in de lucht en bedacht hij dat je met sommige compromissen wel kon leven. En het werd makkelijker met elke afterparty, elk interview en elk telefoontje van zijn agent, die hem voor het eerst in zijn leven de keuze gaf wat hij wilde schrijven, wanneer en voor hoeveel. De jaren verstreken en hij werd een grote naam, toen een coryfee, toen een goeroe. Zijn vrouw en hij bleven bij elkaar. Ze hadden een heerlijk leven. Hij was oprecht gelukkig.

Hij heeft nooit helemaal begrepen hoe die compromissen destijds tot stand waren gekomen. Wat zijn artistieke visie uiteindelijk de das om had gedaan, waren zijn rookpauzes geweest. Hiaten van tien minuten, klaar om uitgebuit te worden. Het was het idee van de producent geweest. Hij had het eerder gedaan met schrijvers die moeilijk deden. Zodra de schrijver zijn hielen had gelicht, belde de producent de vrouw van de schrijver om verslag te doen van de laatste impasse, advies te vragen over wat hij moest zeggen om hem op andere gedachten te brengen, en voor te kauwen wat de vrouw die avond met haar echtgenoot moest bespreken, in zijn eigen belang, uiteraard, voor zijn eigen bestwil, want er was veel geld en prestige in het geding, en in de ervaring van de producent was een beetje wrevel snel vergeten als je een gouden beeldje te poetsen had. In dit geval dacht de vrouw: hij heeft gewoon gelijk, weet je, en dat was ook zo.

Het plan van de slangeneter

Cijfers. Percentages, aantallen, gemiddelden, tendensen, medianen. Misdaadcijfers, ophelderingscijfers, ophelderingspercentages, toename, afname, efficiëntie, input, output, productiviteit. Aan het einde van de twintigste eeuw draaide politiewerk alleen nog maar om statistieken.

Brigadier-rechercheur Ken Cameron hield van cijfers.

Dat weet ik omdat Cameron mijn opleidingsbegeleider was in het jaar dat hij stierf. Hij zei dat cijfers onze redding waren. Cijfers maakten het werk van een politieagent even gemakkelijk als dat van een investeerder, verkoper of fabrieksmanager. We hoeven niet aan zaken te werken, zei hij, we moeten aan de *cijfers* werken. Als de cijfers goed zijn, krijgen we positieve beoordelingen. Als we positieve beoordelingen krijgen, krijgen we aanbevelingen. Als we aanbevelingen krijgen, krijgen we promotie. En promotie betekent meer salaris en pensioen. Dankzij de cijfers kun je een comfortabel leven leiden, zei hij. Een heel comfortabel leven. Dubbel comfortabel, zei hij, omdat je jezelf niet gek hoeft te maken met subjectieve bullshittermen als 'veiligheid op straat' en 'kwaliteit van leven'. Je werkt met cijfers, en cijfers liegen niet.

We werkten in Noord-Londen. Tenminste, dat deed hij, en ik zou er mijn proeftijd doorbrengen. Ik zou weer weggaan, maar hij zat er al drie jaar en ging voorlopig nog niet weg. In Noord-Londen kon je je lol op met cijfers. Het was een groot district met veel criminaliteit en inwoners die permanent het idee hadden dat ze minder goed behandeld werden dan de inwoners van andere delen van Londen. De raadsleden van het stadsdeel uitten constant hun verontwaardiging. Ze vergeleken hun scholen met andere scholen, hun openbaarvervoerlijnen met andere openbaarvervoerlijnen. Alles draaide om die al dan niet ingebeelde benadeling. Als de roltrap bij metrostation West Finchley drie dagen buiten werking was, dan kon je ze beter maar niet vertellen dat de roltrap bij Tooting Bec binnen twee dagen was gerepareerd. Dat soort zaken leidden tot de focus op cijfers, vertelde Cameron me. Omdat domme, ingedutte politici leerden om die paranoïde redeneringen met cijfers te ontzenuwen. Nee hoor, zouden ze zeggen, de Northern Line rijdt hier 63 van de 100 procent op tijd en daar maar 61 procent.

Niet zeuren dus, zouden ze zeggen.

Het duurde niet lang voordat de politie met deze trend meeging. Het was onvermijdelijk. Alles moest worden gemeten. Het was duidelijk een verdedigingsstrategie van onze chefs. De gemiddelde responstijd na een telefoontje naar het alarmnummer? Elf minuten in Tottenham, mevrouw het raadslid, tegenover twaalf minuten in

Kentish Town, zouden onze chefs op trotse toon zeggen, met een lege maar zelfvoldane uitdrukking op hun vlezige gezichten. Natuurlijk logen ze. De chefs in Kentish Town logen ook. De situatie werd steeds absurder. Ik grapte eens tegen Cameron dat de responstijden binnenkort onder de nul zouden duiken. Zo van: jazeker, mevrouw het raadslid, we waren elf minuten voor de oproep al ter plaatse. Maar Cameron keek me alleen even strak aan. Hij dacht dat ik gek was geworden. Hij nam het onderwerp zo serieus dat hij zelfs niet om een grap over een fout kon lachen.

Toch ontkende hij niet dat met de cijfers gesjoemeld kon worden.

Hij verzamelde graag voorbeelden van dergelijke sjoemelarij. Hij observeerde ze van een afstandje. Oproepen naar het alarmnummer bijvoorbeeld. Hij wist precies hoe er met de verslaglegging werd gegoocheld. Centralisten werd gevraagd ruimhartig om te gaan met hun tijdsregistratie. Als het in de echte wereld twaalf uur 's middags was, dan was het in de noodcentrale vier over twaalf. Als er een politiewagen naar een bepaald adres werd gestuurd, dan zou die doorgeven dat hij daar was aangekomen terwijl hij eigenlijk nog drie straten verderop was. Zo werd een trage responstijd van twintig minuten geregistreerd als een fatsoenlijke twaalf minuten. Iedereen blij.

Met zijn eigen prestatiecijfers ging hij geraffineerder te werk.

Zijn voornaamste intellectuele interesse lag bij het analyseren van de lastige balans tussen zijn productiviteit en zijn ophelderingspercentage. Voor elke politieagent was geen zaken accepteren de voor de hand liggende manier om zijn ophelderingspercentage te verfraaien, met uitzondering van de echt gemakkelijke zaken die geheid succesvol zouden zijn. Cameron legde het uit als een zenmeester: stel dat je maar één zaak per jaar hebt. Stel dat je die oplost. Wat is dan je ophelderingspercentage? Honderd procent! Dat begreep ik natuurlijk ook wel, het was een simpel rekensommetje. Maar voor de lol zei ik, oké, maar stel dat je de zaak niet oplost? Dan is je ophelderingspercentage nul! Maar hij liet zich niet op de kast jagen, zoals ik eigenlijk had verwacht. In plaats daarvan glimlachte hij goedkeurend, alsof ik vooruitgang boekte. Alsof ik het spel begon te begrijpen. Precies, zei hij. Je vermijdt de zaken die je niet kunt oplossen, en je stort je op de zaken die je zeker kunt oplossen.

Op dat moment had ik het al kunnen weten. De zaken die je zeker kunt oplossen. Maar ik zag het nog niet. Ik dacht nog niet ver genoeg door. En ik kreeg weinig tijd om erover na te denken, want hij ging meteen door naar het hoofdprobleem: de productiviteit. Met een ophelderingspercentage van vijfenzeventig procent kon je absoluut punten scoren. Dat was duidelijk. Maar als je dat percentage behaalde door drie zaken op te helderen en één niet, dan verloor je belangrijke punten vanwege een te lage productiviteit. Ook dat was duidelijk. Vier zaken per jaar was belachelijk weinig. Veertig zaken per jaar was ook weinig. In Noord-Londen behandelde een rechercheur destijds honderden zaken per jaar. Dat was het grote probleem van Ken Cameron: de balans tussen productiviteit en ophelderingspercentage. Hij zei: ‘Snap je?’ Alsof het gewicht van de wereld op zijn schouders rustte, dacht ik. Maar dat begreep ik verkeerd. Eigenlijk bedoelde hij: dus wat ik doe, maakt me geen slecht persoon.

Ik had het moeten zien, maar ik zag het niet.

Vervolgens vertelde hij, nog steeds in zijn zenmeester-modus, een mop. Twee mannen lopen door een bos. Ze zien een beer op hen afkomen. 'Rennen!' zegt de eerste man. 'Dat heeft geen zin,' zegt de tweede man. 'Je kunt niet harder rennen dan een beer.' 'Dat hoeft ook niet,' antwoordt de eerste man. 'Ik hoef alleen maar harder te rennen dan jij.'

Ik had de mop al eens gehoord, al tig keer. Ik was volgens mij even stil omdat ik probeerde te bedenken van wie ik de mop ook alweer voor het laatst had gehoord. Ik reageerde dus niet zoals Cameron had gehoopt. Ik zag hem denken: lulletje van de versnelde opleiding. Toen herpakte hij zich en legde zijn punt uit. Hij was niet per se uit op superhoge cijfers. Hij wilde alleen de persoon die na hem kwam verslaan. Dat was alles. Met een of twee punten, meer was niet nodig. Daar kon hij voor zorgen terwijl hij een heel aannemelijke balans tussen zijn ophelderingspercentage en zijn productiviteit behield.

Daar kon hij voor zorgen. Ik had moeten vragen, hoe dan? Waarschijnlijk wachtte hij op die vraag. Maar ik stelde hem niet.

Hoe hij dat deed, ontdekte ik op de dag dat ik een prostituee genaamd Kelly Key en een gek genaamd Mason Mason ontmoette. Ik ontmoette hen apart van elkaar. Kelly Key eerst. Weer zo'n al dan niet ingebeelde ongelijkheid; in Noord-Londen was weliswaar veel prostitutie, maar lang niet zoveel als bijvoorbeeld in West End. De prostitutie was wel van een andere soort. En elk geval zichtbaarder. Je zag de hoeren op straat. In West zaten ze binnen, wachtend bij de telefoon. Dus ik begreep nooit precies waar de Noord-Londenaars zich nou zo kwaad om maakten. Omdat hun prostituees goedkoper waren? Omdat ze mooiere meisjes wilden? Of wat? In elk geval was er altijd wel een schoonveegactie gaande, meestal in de noordelijke delen van Islington en in heel Haringey. De meisjes werden bij ons binnengebracht. Als ze op het politiebureau zaten, maakten ze een volledig ontspannen maar tegelijkertijd totaal misplaatste indruk.

Toen we op een ochtend terugkwamen uit de kantine, zat Kelly Key op ons te wachten. Ken Cameron besloot blijkbaar spontaan om haar te gebruiken om mij allerlei essentiële kennis bij te brengen. Hij nam me apart om me het een en ander uit te leggen. In eerste instantie zouden we niets op papier zetten. Als we iets op papier zetten, zou Kelly in het systeem worden geregistreerd, wat goed was voor onze productiviteit maar slecht voor ons ophelderingspercentage, omdat tippelen heel moeilijk te bewijzen was. Maar hoe langer we haar de indruk zouden geven dat ze in de problemen zat, hoe meer die ouwe Kelly in de piepzak zou zitten, wat ons interessante gratis diensten zou opleveren nadat we haar uiteindelijk hadden laten gaan. Een agent die voor seks betaalt, is een foute agent, zei Cameron.

Een foute agent. In relatieve zin dan, denk ik nu.

Dus ik keek toe hoe Cameron het Kelly Key lastig maakte. Het was aan het einde van de ochtend, maar ze had haar tippeloutfit al aan. Er was veel been en decolleté te zien. Ze was niet zo dom dat ze haar diensten uit eigen beweging aanbood, maar ze deed continu dat trucje van Sharon Stone uit *Basic Instinct*. Ze opende en kruiste haar benen zo snel dat er haast turbulentie ontstond. Cameron genoot van het verhoor. En van het uitzicht. Dat was wel duidelijk. Hij was helemaal in zijn element. Hij was de baas, zo overduidelijk dat het gewoon een feit was. Hij was een boom van een kerel, zwaar en stevig op zo'n klassieke politieagentenmanier. Waarschijnlijk was hij ergens in de veertig, hoewel het moeilijk te zeggen is bij van die mannen met zo'n bol roze gezicht. Maar hij was groot, hij had een penning en hij had ervaring, en alles bij elkaar maakte hem dat onaantastbaar. Althans, tot dat moment.

Vervolgens werd Mason Mason binnengebracht. We hadden nog een uur plezier met Kelly voor de boeg, maar we hoorden commotie bij de balie. Mason Mason was aangehouden wegens wildplassen. We noemden de geüniformeerde agenten destijds *woollies*, vanwege hun wollen uniformen, en in principe konden de woollies een geval van wildplassen prima zelf afhandelen, zelfs als ze het incident zouden rapporteren als openbare schennis van de eerbaarheid. Maar Mason Mason was gefouilleerd en bleek wat meer flappen op zak te hebben dan je van een zwerver zou verwachten. Hij had negentig pond bij zich, in nieuwe briefjes van tien. De woollies droegen hem dus aan ons over, voor het geval we wilden onderzoeken of er voldoende bewijs was voor diefstal of beroving, misschien zelfs met geweld, want het was mogelijk dat hij had gevochten om aan het geld te komen. Het kon kat in het bakkie zijn. De woollies waren niet dom. Ze wisten dat wij het ophelderingspercentage en de productiviteit in evenwicht wilden houden, en ze dachten ook aan zichzelf, want hoewel rechercheurs onderling met elkaar wedijverden, was er ook een algemeen cijfer voor het hele bureau, waar dus iedereen bij gebaat was. Alles werd in cijfers uitgedrukt.

Dus Kelly Key werd door Cameron even op een laag pitje gezet en hij richtte zijn aandacht op Mason Mason. Hij nam me apart om een paar dingen uit te leggen. Ten eerste heette de man echt Mason Mason. Die naam stond op zijn geboorteakte. Het verhaal ging dat zijn vader dronken was geweest, of in de war, of beide, toen hij bij de burgerlijke stand in beide vakjes 'Mason' had geschreven, bij voor- en achternaam. Ten tweede plaste Mason niet in het openbaar omdat hij een zielige dronkaard of dakloze was. Hij dronk amper. Hij was vrij ongevaarlijk. Het punt was dat Mason – geboren in Tottenham, vlakbij het Spurs-stadion – ervan overtuigd was dat hij een Amerikaan was en in het Amerikaanse marinierskorps had gediend, en wel bij de Force Reconnaissance, een elite-verkenningseenheid die zichzelf de Slangeneters noemden. Cameron zei dat Mason Mason niet van dat waanidee was af te brengen. In Noord-Londen wemelde het van de Elvis-imitators, country- en westernzangers, Burgeroorlog-re-enactors, Omaha Beach-liefhebbers en vintage-Cadillac-rijders, dus Masons beeld van zichzelf viel niet zo uit de toon. Maar het leidde wel tot vreemde situaties. Hij dacht dat de straten van Noord-Londen deel uitmaakten van het verwoeste Beiroet, waar door het puin struinen en tegen de restanten van een ingestort gebouw plassen deel uitmaakte van het harde leven van een marinier. Hij verzamelde insignes, onderscheidingen en tatoeages. Hij had tatoeages van slangen over zijn hele lichaam, waaronder een op zijn borst samen met de woorden *Don't Tread On Me*.

Nadat ik al deze informatie had aangehoord, viel me op dat Mason een oorbel met een slang in zijn linkeroor droeg. Het was een kleine, vrij strak opgerolde slang, van zwaar goud, best mooi gemaakt. Hij hing met een gouden ringetje aan een niet bijpassend zilveren haakje in zijn oorlel.

Cameron zag het ook. 'Die is nieuw', zei hij. 'De slangeneter heeft er weer een tierelantijntje bij.'

Toen werd zijn blik even leeg, als een tv-scherm terwijl je van zender verandert.

Ik had het kunnen zien aankomen.

Hij stuurde Kelly Key weg om even ergens anders te gaan zitten en richtte zich op Mason. Eerst bracht hij hem in verlegenheid door hem routinevragen te stellen, beginnend met het verzoek om zijn naam te noemen.

'Sir, marinier Mason meldt zich, sir,' zei hij als een echte marinier.

'Is dat uw voor- of achternaam?'

'Sir, allebei, sir,' zei de man.

'Geboortedatum?'

Mason dreunde dag, maand en jaar op. Hij was dus ongeveer even oud als Cameron. Hij had ook ongeveer hetzelfde postuur als Cameron, wat ongebruikelijk was voor een zwerver. Meestal takelen ze snel af. Maar Mason was lang en zwaar gebouwd. Hij had handen zo groot als plofkippen en zijn nek was breder dan zijn hoofd. De oorbel leek niet bij hem te passen, over het geheel genomen, behalve misschien op een piraatachtige manier. Maar ik begreep waarom de woollies dachten dat de beschuldiging van beroving met geweld weleens stand zou kunnen houden. De meeste mensen zouden liever hun geld aan Mason afstaan dan met hem in een gevecht belanden.

'Geboorteplaats?' vroeg Cameron.

'Sir, Muncie, Indiana, sir,' zei Mason.

Aan zijn manier van spreken was duidelijk te horen dat hij uit

Londen kwam, maar zijn nep-Amerikaanse accent was best indrukwekkend. Blijkbaar keek hij veel tv en zat hij vaak in de bioscoop. Hij had erg zijn best gedaan om marinier te worden. Ook zijn blik was overtuigend. Mat, alert, uitdrukkingsloos. Als een echte marinier. Hij had vast vaak *Full Metal Jacket* gezien.

'Muncie, Indiana,' herhaalde Cameron. 'Niet Tottenham, Noord-Londen?'

'Sir, nee, sir,' blafte Mason. Cameron begon hem vierkant uit te lachen, maar Mason gaf geen krimp, als een man die het drilkamp van de mariniers heeft overleefd.

'Militaire dienst?' vroeg Cameron.

'Sir, elf jaar in Gods eigen marinierskorps, sir.'

'*Semper fi*?'

'Sir, positief, sir.'

'Waar komt dat geld vandaan, Mason?'

De gedachte kwam bij me op dat als iemand dezelfde voor- en achternaam heeft, je diegene niet snel op al te serieuze toon aanspreekt. Als ik bijvoorbeeld tegen Cameron 'Hé, Ken,' zou zeggen, zou dat vriendelijk klinken. Als ik 'Hé, Cameron' zei, zou het beschuldigend klinken. Maar bij Mason Mason maakte het geen verschil.

'Dat heb ik gewonnen,' zei hij. Nu klonk hij als een nurkse Londenaar.

'Bij de paardenraces?'

'Bij de hondenraces. In Haringey.'

'Wanneer?'

'Gisteravond.'

‘Hoeveel?’

‘Negentig pond.’

‘Gaan mariniers naar de hondenraces?’

‘Sir, Recon Marines mengen zich onder de lokale bevolking.’ Hij was nu weer geheel en al de marinier.

‘En die oorbel?’ vroeg Cameron. ‘Die is nieuw.’

Terwijl hij antwoordde ging Masons hand naar de oorbel. ‘Sir, dat was een cadeau van een dankbare burger.’

‘Wat voor burger?’

‘Een vrouw in Kosovo, sir.’

‘Waar was ze dankbaar voor?’

‘Sir, ze was bijna slachtoffer van etnische zuivering geworden.’

‘Door wie?’

‘De Serviërs, sir.’

‘Bedoel je de Bosniërs?’

‘Zou kunnen, sir. Ik heb geen vragen gesteld.’

‘Hoe ging dat precies?’ vroeg Cameron.

‘Er werd sociaal gediscrimineerd,’ zei Mason. ‘Mensen die als rijk werden beschouwd, werden eruit gepikt en op speciale manieren gemarteld. Een familie werd als rijk beschouwd als de vrouw des huizes sieraden bezat. Vaak werden de sieraden bij elkaar gelegd en werd de man gedwongen ze op te eten. Daarna vroegen ze de vrouw of ze haar sieraden terug wilde. Ze was dan meestal van streek en wist niet wat het juiste antwoord moest zijn. Sommige vrouwen zeiden ja, en dan sneden de agressors de buik van de man open en werd de vrouw gedwongen de sieraden zelf uit zijn lichaam te halen.’

‘En jij hebt dit voorkomen?’

'Samen met mijn maten, sir. We omsingelden het huis met de tactiek van schieten en verplaatsen en schakelden de aanvallers uit. Het was een bescheiden huishouden, sir. De vrouw bezat één paar oorbellen.'

'En die gaf ze aan jou.'

'Een van de twee, sir. De andere oorbel hield ze zelf.'

'Gaf ze je één oorbel?'

'Uit dankbaarheid, sir. We hadden het leven van haar man gered.'

'Wanneer was dit?'

'Sir, volgens ons operationele logboek vond de actie vorige week donderdag om vier uur 's nachts plaats.'

Cameron knikte. Hij liet Mason Mason bij de balie staan en nam mij apart in een hoek. Een paar minuten lang troefden we elkaar af met de beste 'zo gek als een bos uien'-achtige metaforen die we kenden. Zo lijp al een deur, van lotje getikt, dat soort dingen. Later voelde ik me er rot over. Ik had moeten weten wat er ging gebeuren.

Maar Cameron was alweer bezig met een of andere lange, ingewikkelde berekening. Het was bijna metafysisch, zo ingewikkeld. Als we vandaag nog een zaak registreerden, zou ons productiviteitscijfer stijgen. Logischerwijs. Als we de zaak oplosten, steeg ons ophelderingspercentage. Uiteraard. De vraag was, zou ons ophelderingspercentage sneller stijgen dan ons productiviteitscijfer? Oftewel: was het de moeite waard? Om dat te berekenen moest je een soort esoterische methode hanteren waar ik niets van begreep, en ik was nog wel een lulletje van de versnelde opleiding. Maar Cameron leek er een handige vuistregel op na te houden: het was altijd de moeite waard om een zaak te registreren als je wist dat je hem kon oplossen. Ik beschouwde het destijds als bijgeloof dat niets met berekeningen te maken had, maar ik kon het niet bewijzen. Dat zou ik nog steeds niet kunnen, moet ik zeggen, zonder naar de avondschool te gaan. Maar op dat moment stelde ik geen vragen bij de rekensom, maar bij de feiten.

'Hebben we überhaupt een zaak?' vroeg ik.

'Daar komen we snel genoeg achter,' zei hij.

Ik verwachtte dat hij me eropuit zou sturen om een *Evening Standard* te halen zodat we de uitslagen van de windhondenraces in Haringey konden checken. Of dat hij me incidentmeldingen zou laten doorspitten om te kijken of er afgelopen donderdagnacht een slangenoorbel was gestolen. Maar dat deed hij niet. Hij nam me mee naar Kelly Key.

'Je werkt hard voor je geld, toch?' vroeg hij aan haar.

Ik zag aan Kelly dat ze niet wist waar hij met zijn vraag heen wilde. Had hij met haar te doen? Deed hij haar een voorstel? Ze wist het niet. Ze tastte in het duister. Maar zoals het een goede hoer betaamt, gaf ze een neutraal antwoord.

'Het kan leuk zijn,' zei ze. 'Met sommige mannen.'

Ze zei niet 'Met mannen zoals jij'. Dat zou er te dik bovenop liggen. De vraag zou immers een valstrik van Cameron kunnen zijn. Maar de manier waarop ze glimlachte en zachtjes zijn onderarm aanraakte, maakte meer dan duidelijk wat ze impliceerde. Cameron pikte haar signalen feilloos op. Maar hij schudde ongeduldig zijn hoofd.

'Ik vraag niet om een afspraakje,' zei hij.

'O,' zei ze.

'Ik zeg alleen: je werkt hard voor je geld.'

Ze knikte. De glimlach verflauwde en de realiteit toonde zich in haar blik. Ze werkte heel hard voor haar geld. Die boodschap was niet te missen.

'Je doet dingen die je vreselijk tegenstaan,' zei Cameron.

'Soms,' zei ze.

'Hoeveel vraag je?'

'Tweehonderd per uur.'

'Lieg niet,' zei Cameron. 'De tweeëntwintigjarigen in West End vragen tweehonderd per uur.'

Kelly knikte. 'Vijftig voor een vluggertje,' zei ze.

'Dertig?'

'Ook goed.'

'Wat zou je ervan vinden als een klant je bestal?'

'Als hij niet betaalde, bedoel je?'

'Als hij negentig pond van je jatte. Dat is hetzelfde als vier keer niet betaald krijgen. Dan mocht hij gratis, en de vorige drie kerels ook, want dat geld is dan ook verdwenen.'

'Dat zou ik niet leuk vinden,' zei ze.

'En als hij ook je oorbel jatte?'

'Mijn wat?'

'Je oorbel.'

'Wie?'

Cameron keek door de kamer naar Mason. Kelly Key volgde zijn blik.

'Hij?' zei ze. 'Hem zou ik weigeren. Hij is geschift.'

'En als je hem wel zou accepteren?'

'Dat zou ik niet doen.'

'We doen even alsof,' zei Cameron. 'Stel dat hij je klant was, en dat hij je geld en je oorbel stal.'

'Het is niet eens een echte oorbel.'

'Echt niet?'

Kelly schudde haar hoofd. 'Het is een bedeltje van een armband. Jullie zijn hopeloos. Zien jullie dat dan niet? Het hoort aan een bedelarmband te zitten. Met dat kleine ringetje bovenaan. Je ziet toch dat die niet bij het haakje past?'

We keken allemaal naar het oor van Mason Mason. Vervolgens keek ik naar Cameron. Opnieuw verscheen die lege blik in zijn ogen. Alsof hij van kanaal veranderde.

'Ik zou je kunnen arresteren, Kelly Key,' zei hij.

'Maar?'

'Maar dat doe ik niet, als je meewerkt.'

'Wat bedoel je?'

'Als je verklaart dat Mason Mason negentig pond en een bedelarmband van je heeft gestolen.'

'Maar dat is niet zo.'

'Snap je niet wat doen alsof is?'

Kelly Key zei niets.

'Je hoeft niets over je professionele achtergrond te zeggen,' zei Cameron. 'Als je dat niet wilt. Zeg gewoon dat hij bij je heeft ingebroken. En dat jij in bed lag te slapen. Een inbraak terwijl de bewoner ligt te slapen doet het altijd goed.'

Kelly Key maakte haar blik los van Mason en keek Cameron aan.

'Krijg ik die dingen daarna dan terug?'

'Welke dingen?'

'De negentig pond en de armband. Als ik zeg dat hij die van me gestolen heeft, dan zijn ze toch van mij? Dan hoor ik ze ook terug te krijgen.'

'Allemachtig,' zei Cameron.

'Het lijkt me wel zo eerlijk.'

'Die armband bestaat helemaal niet. Hoe kun je die dan in godsnaam terugkrijgen?'

'Hij moet bestaan. Er moet bewijs zijn.'

Camerons blik werd weer leeg. Een ander kanaal. Hij zei tegen Kelly dat ze moest blijven waar ze was en nam mij mee naar een hoek van de kamer.

'We kunnen toch geen zaak fabriceren?' zei ik.

Hij keek me vermoeid aan, alsof ik een achterlijk kind was.

'We fabriceren ook geen zaak,' zei hij. 'We fabriceren een cijfer. Dat is iets heel anders.'

'Hoezo? Mason belandt achter de tralies. Dat is geen cijfer.'

'Mason is beter af achter de tralies,' zei hij. 'Ik ben niet helemaal harteloos. Voor negentig pond en een armband van een hoer krijgt hij drie maanden max. Ze geven hem psychiatrische zorg. Die krijgt hij buiten niet. Ze geven hem medicatie. Hij zal een ander mens zijn als hij vrijkomt. Je moet het zien als een opname in een kliniek. In een rusthuis. Op kosten van de overheid. We bewijzen hem een dienst.'

Ik zei niets.

'Iedereen wint erbij,' zei hij.

Ik zei niets.

'Ga nou niet dwarsliggen, jongen,' zei hij tegen mij.

Ik ging niet dwarsliggen. Dat had ik moeten doen, maar ik deed het niet.

Hij nam me mee terug naar Mason Mason. Hij vroeg Mason zijn nieuwe oorbel aan hem te geven. Mason haalde hem zwijgend uit zijn oor en gaf hem aan Cameron. Cameron gaf hem aan mij. De kleine slang voelde verrassend zwaar en warm in mijn hand.

Ik ging met Cameron mee naar beneden, naar de opslag van bewijsmateriaal. Hij zei dat de klachten van het publiek van grote invloed waren geweest op de manier waarop politiewerk werd uitgevoerd. Het had geleid tot de statistieken, en de statistieken werden gebruikt om budgetten te verkrijgen, en de budgetten waren enorm. Geen enkele politicus kon de verleiding weerstaan om de politiebudgetten te verhogen, niet op lokaal en niet op nationaal niveau. Dus meestal hadden we geld in overvloed tot onze beschikking. Het probleem was: waaraan moesten we het uitgeven? Ze hadden meer woollies op straat kunnen zetten of het aantal boevenvangers bij de recherche kunnen verdubbelen, maar bureaucraten zijn dol op statussymbolen, dus spendeerden ze het geld voornamelijk aan de bouw van nieuwe politiebureaus. In Noord-Londen stikte het ervan. Overal stonden grote betonnen bunkers. Districten waren opgedeeld en samengevoegd, hoofdbureaus waren verplaatst. Het gevolg daarvan was dat de bewijsarchieven in heel Noord-Londen vol zaten met oud materiaal dat van elders was binnengebracht. Historisch materiaal. Materiaal waar niemand meer naar omkeek.

Cameron stuurde de dienstdoende brigadier met lunchpauze en

ging op zoek naar de papieren logboeken. Hij legde uit dat recent bewijs op computers was geregistreerd, iets ouder bewijs op microfilm en bewijs van twintig of dertig jaar geleden nog in de originele, handgeschreven logboeken stond opgetekend. Die dingen kon je jatten, zei hij, want je kon de betreffende bladzijde gewoon uit de boeken scheuren. Uit een microfilm kon je niet zomaar een bladzijde verwijderen zonder honderden andere bladzijden mee te nemen. En er werd gezegd dat het verwijderen van gegevens uit computerbestanden sporen achterliet, zelfs als je dacht van niet.

We verdeelden de stapel stoffige oude logboeken en begonnen ze door te bladeren, op zoek naar jaren geleden verloren of teruggevonden bedelarmbanden. Cameron zei dat we er zeker een zouden vinden. Hij beweerde dat er van alles tenminste één exemplaar te vinden was in een bewijsarchief van dit formaat. Kunstledematen, olieverfschilderijen, pistolen, uurwerken, heroïne, horloges, paraplu's, schoenen, trouwringen, alles wat je maar nodig had. En hij had gelijk. De boeken voor mijn neus suggereerden dat er zich achter de deur waar ik op uitkeek een magazijn bevond waar de kerstman jaloers op zou zijn.

Ik was degene die de armband vond. In het derde boek dat ik doorbladerde. Ik had mijn mond moeten houden en de bladzijde gewoon moeten omslaan. Maar ik was nieuw, en ik was ijverig, en ik denk dat ik tot op zekere hoogte bij Cameron onder de plak zat. En ik wilde niet dwarsliggen. Ik wilde carrière maken, en ik wist wat daaraan bijdroeg en wat niet. Dus ik sloeg de bladzijde niet om en riep: 'Hebbes.'

Cameron sloeg zijn eigen boek dicht en kwam naar me toe om

mee te kijken. De beschrijving luidde: bedelarmband, vrouw, één, goud, met enkele bedeltjes. Het bewijsstuk hoorde bij een oude en allang vergeten zaak uit de jaren zeventig.

'Uitstekend,' zei Cameron.

De opslagplaats was precies zoals ik me het magazijn van een cataloguswinkel voorstelde. Overal stonden spullen in dozen, opgestapeld in stellingkasten tot wel drie meter hoog. Er was een uitgebreid nummeringssysteem waarbij alles netjes op volgorde stond, maar bij de echt oude stukken werd het wat slordiger. Het duurde een minuut of twee voordat we het juiste vak hadden gevonden. Toen schoof Cameron een kartonnen doosje van een plank en maakte het open.

'Bingo,' zei hij.

Het was geen juwelendoosje. Het was gewoon een doosje van een oude kantoorboekhandel. Er lag geen bedje van watten in. Alleen de bedelarmband. Het was een mooi ding, behoorlijk zwaar, echt goud. Er hingen bedeltjes aan. Ik zag een sleuteltje, een kruisje en een tijgertje. En nog wat dingen die ik zo snel niet kon thuisbrengen.

'Hang de slang eraan,' zei Cameron. 'Het moet wel echt lijken.'

Er zaten ringetjes aan de armband die leken op het ringetje aan Masons slang. Ik vond een leeg ringetje. Maar met twee gesloten ringetjes kon ik niets.

'Ik heb gouddraad nodig,' zei ik.

'Terug naar de boeken,' zei Cameron.

We toetsten zijn bewering dat er van alles minstens één exemplaar in de opslag lag. En ja hoor, we vonden gouden juweliersdraad, één spoel. Zoekgeraakt in 1969. Cameron sneed er met zijn zakmes een centimeter vanaf.

'Ik heb een tang nodig,' zei ik.

'Gebruik je nagels,' zei hij.

Het was een priegelwerkje, maar ik slaagde erin de slang enigszins stevig vast te maken. Vervolgens verdween de armband in Camerons zak.

'Scheur de bladzijde eruit,' zei hij.

Dat had ik niet moeten doen, maar ik deed het toch.

Vier dagen later kreeg ik enorme gewetenswroeging. Mason Mason was aangehouden. Hij hield bij de politierechter vol dat hij onschuldig was. Hij werd in voorlopige hechtenis genomen en er werd een borgsom van vijfduizend pond vastgesteld. Ik vermoed dat Cameron het Openbaar Ministerie zover had gekregen de borgsom zo hoog te maken om te voorkomen dat Mason op vrije voeten zou komen, want hij was een beetje bang voor hem. Mason was een boom van een kerel en hij was heel boos over de valse beschuldiging. Heel erg boos. Hij zei dat hij begreep dat de smerissen hun quota moesten halen. Dat was allemaal goed en wel. Maar hij zei dat niemand een marinier van oneervol gedrag mag beschuldigen. Nooit. Hij zat dus een paar dagen in de cel, en toen verraste hij iedereen door de borg te betalen. Hij voldeed het bedrag en werd vrijgelaten. Iedereen had wel een theorie, maar niemand wist precies waar het geld vandaan kwam. Cameron was een dag lang nerveus, maar hij zette zich eroverheen. Cameron was ook een boom van een kerel, en bovendien een politieagent.

De volgende dag zag ik Cameron met de armband. Het was laat in de middag. Het ding lag op zijn bureau. Toen hij me zag, stopte hij het in zijn zak.

'Dat ding hoort in de opslagplaats,' zei ik. 'Met een nieuw zaaknummer. Of anders om de pols van Kelly Key.'

'Ik heb haar negentig pond gegeven,' zei hij. 'En ik heb besloten om de armband te houden.'

'Waarom?'

'Omdat ik hem mooi vind.'

'Ja, vast. En waarom echt?' zei ik.

'Ik ken een pandjeshuis in Muswell Hill.'

'Ga je hem verkopen?'

Hij zei niets.

'Ik dacht dat het je om de cijfers ging.'

'Er zijn verschillende soorten cijfers,' zei hij. 'Geld in mijn zak, bijvoorbeeld. Dat is ook een cijfer.'

'Wanneer ga je hem verkopen?'

'Nu.'

'Voor het proces begint? Moeten we hem niet als bewijs kunnen tonen?'

'Je denkt niet na, jongen. De armband is verdwenen. Hij heeft hem allang en breed doorverkocht. Hoe denk je anders dat hij die borgsom kon betalen? Jury's houden van dat soort mooie kleine consistenties.'

Toen ging hij weg en liet hij mij alleen achter. En op dat moment sloeg het schuldgevoel toe. Ik begon te malen over Mason Mason. Ik wilde niet dat hij hoefde te lijden voor onze statistieken. Als hij in de gevangenis medische zorg zou krijgen, nou, oké. Daar kon ik wel mee leven. Het was verkeerd, maar misschien ook wel goed. Alleen hoe konden we dat garanderen? Het zou waarschijnlijk van zijn dossier afhangen. Als hij al eerder psychiatrische hulp had gekregen, zou die misschien automatisch worden voortgezet. Maar wat als dat niet zo was? Wat als er eerder was vastgesteld dat hij een geestelijk gezonde crimineel was? Ik besloot dat ik het spel alleen mee zou blijven spelen als Mason fatsoenlijk behandeld zou worden. Zo niet, dan zou ik het hele plan om zeep helpen. En mijn carrière ook. Dat was mijn pact met de duivel. Dat is het enige wat ik ter verdediging van mezelf kan aanvoeren.

Ik startte mijn computer op.

Dat zijn voor- en achternaam hetzelfde waren, sloot elke mogelijke verwarring over de persoon die ik zocht uit. Er was maar één Mason Mason in Londen. Ik ging steeds verder terug in de tijd. De eerste resultaten waren erg bemoedigend. Hij had psychiatrische hulp gekregen. Hij was vele malen opgepakt voor diverse overtredingen, allemaal gerelateerd aan zijn overtuiging dat hij een Recon Marine was en Londen een slagveld. Hij sloeg zijn bivak op in parken. Hij deed zijn behoefte in het openbaar. Af en toe viel hij voorbijgangers aan omdat hij hen aanzag voor sjiitische guerrillastrijders of de Servische militie. Maar over het algemeen had de politie hem goed behandeld. Ze waren meestal vriendelijk en begrippvol. De geestelijke gezondheidszorg werd regelmatig ingeschakeld. Hij kreeg therapie. Hoe verder je terug in de tijd ging, des te beter ze hem leken te behandelen. Wat in werkelijkheid betekende dat ze in de loop der jaren een beetje genoeg van hem kregen. Ze maakten zich steeds sneller van hem af. Maar ze begrepen het wel. Hij was gek. Hij was geen misdadiger. Dus, oké.

Toen viel me iets op. Er was vóór drie jaar geleden niets vastgelegd. Of nee, dat klopte niet. Toen ik heel ver terug scrolde, vond ik toch wat heel oude informatie. Verslagen van veertien jaar geleden. Hij was toen eind twintig en kwam regelmatig in de problemen vanwege verstoring van de openbare orde. Ruzies, vechtpartijen, openbare dronkenschap, fysiek geweld. Redelijk ernstige, maar normale incidenten. Geen gestoord gedrag.

Ik hoorde Camerons stem in mijn hoofd: hij drinkt amper. Hij is vrij ongevaarlijk.

Ik dacht: twee Mason Masons. De oude en de nieuwe.

Met elf jaar ertussen.

Toen hoorde ik Masons stem in mijn hoofd, met zijn indrukwekkende Amerikaanse accent: sir, elf jaar in Gods eigen marinierskorps, sir.

Ik bleef even stil zitten.

Toen pakte ik de telefoon en belde de Amerikaanse ambassade op Grosvenor Square. Ik wist niet wat ik anders moest doen. Ik introduceerde mezelf als politieagent. Ze verbonden me door met een militair attaché.

'Is het voor een niet-Amerikaan mogelijk om tot jullie marinierskorps te worden toegelaten?'

'Overweegt u zich aan te melden?' vroeg de man. 'Uitgekeken op het politievak?'

Zijn stem leek een beetje op die van Mason. Ik vroeg me af of hij in Muncie, Indiana, was geboren.

'Is het mogelijk?' vroeg ik opnieuw.

'Natuurlijk,' zei hij. 'Een flink percentage van onze mariniers komt uit het buitenland. Het is tenslotte een baan, en ze krijgen na drie jaar het staatsburgerschap in plaats van vijf.'

'Heeft u toegang tot de databases?'

'Is het dringend?'

Ik dacht aan Cameron, die op weg was naar Muswell Hill en achtervolgd werd door een Recon Marine die op wraak zinde.

'Heel dringend.'

'Om wie gaat het?'

'Een man met de naam Mason.'

'Voornaam?'

'Mason.'

'Nee, voornaam.'

'Mason,' zei ik. 'De voor- en achternaam is Mason.'

'Een moment, graag.'

Tijdens het wachten probeerde ik in gedachten Camerons waarschijnlijke route uit te stippelen. Ik nam aan dat hij te voet zou zijn. De afstand was te kort voor de auto, en de metro was te omslachtig. Dus hij zou gaan lopen, en wel via Alexandra Park.

'Hallo?' zei de man van de ambassade.

'Ja?'

'Mason Mason heeft elf jaar bij de marine gediend. Brits staatsburger van origine. Opgeklommen tot de rang van Eerste Sergeant. Hij werd voor de Force Reconnaissance geselecteerd en heeft over de hele wereld gediend. Beiroet, Panama, de Golf, Kosovo. Hij is meerdere keren onderscheiden en ruim drie jaar geleden eervol ontslagen. Hij was een verdomd goede marinier. Maar ik zie hier een notitie in zijn dossier dat hij onlangs in de problemen is gekomen. De Vereniging van Buitenlandse Veteranen heeft een borgsom voor hem betaald.'

'Wat was de reden van zijn vertrek uit de marine?'

'Hij kwam niet door de psychologische keuring.'

'Krijg je in zo'n geval eervol ontslag?'

'We sturen ze weg,' zei de man. 'Maar we geven ze geen trap na.'

Ik bleef even zitten, besluiteloos. Moest ik er politieauto's op af sturen? Dat had weinig zin in het park. Moest ik er een paar woollies te voet op af sturen? Was mijn reactie overdreven?

Ik besloot zelf op pad te gaan, en ik rende de hele weg.

Het was laat in het jaar en laat op de dag, en het werd al donker. Ik stak de spoorbrug over terwijl er een trein onderdoor denderde. Ik speurde de straat voor me en de heggen links en rechts van me af. Geen Cameron. Geen Mason.

De ijzeren toegangshekken van Alexandra Park waren al dicht. Dit park sluit bij zonsondergang, stond op het bordje. Ik klom over het hek en rende verder. De geur van de nachtelijke nevel hing al in de lucht. In de verte hoorde ik het verkeer van de North Circular Road. Ergens in zuidelijke richting hoorde ik spreeuwen zich kwetterend klaarmaken voor de nacht. Misschien in Hornsey. Voor me tekende het donkere silhouet van Alexandra Palace zich af, en ik bleef even stilstaan. Verdergaan of terugkeren?

Muswell Hill, of het park? Het park was gevaarlijker. Het park was de plek waar een Recon Marine tot actie zou overgaan. Ik draaide me om.

Ik vond Cameron een meter naast een zijpad.

Half verborgen onder een lage struik. Hij lag op zijn rug. Zijn overjas ontbrak. Zijn colbert ontbrak. Zijn overhemd was van zijn lichaam gescheurd. Boven zijn middel was hij naakt. Hij was vanaf zijn borstbeen tot zijn navel met een scherp mes opengereten. Iemand had zijn handen in Camerons buik gestoken, zijn maag eruit gehaald en op zijn borst gelegd. Er gewoon uitgerukt, het hele orgaan. De maag lag daar, boven op de borst, bleek en paars en geaderd. Als een zachte ballon. Hij was in zo'n vorm gedrukt, gekneed en neergelegd dat de vage gouden glans van de bedelarmband door de dunne, doorschijnende wand zichtbaar was. In het schemerlicht zag ik hem duidelijk zitten.

Ik vermoedde dat ik de rol van de Kosovaarse vrouw moest spelen. Ik was Camerons handlanger en ik moest het sieraad eruit halen. Of anders misschien Kelly Key. Maar we deden het geen van beiden. De scène die Mason had voorbereid, liep op niets uit. Ik probeerde het niet, en Kelly Key heeft het lichaam nooit gezien.

Ik rapporteerde het niet. Ik ben die avond gewoon weggelopen en heb Cameron in het park achtergelaten zodat iemand anders hem de volgende ochtend zou vinden. En dat gebeurde ook, uiteraard. Het zorgde voor veel ophef. Hij kreeg een indrukwekkende begrafenis. Iedereen was erbij. Daarna volgde er uiteraard een groot onderzoek. Ik zei niets, maar evengoed viel de verdenking meteen op Mason Mason. Maar Mason verdween en is nooit meer gezien. Hij loopt nog steeds ergens rond, een geschifte Recon Marine die zich mengt onder de lokale bevolking, waar hij ook is.

En ik? Ik rondde mijn proefjaar succesvol af en ben nu rechercheur in Tower Hamlets. Ik zit hier al een paar jaar. Mijn cijfers zijn behoorlijk goed. Niet zo goed als die van Ken Cameron destijds, maar ik probeer van mijn fouten te leren.

Verantwoording

'Addicted to Sweetness,' first published in MWA Presents the Rich and the Dead, edited by Nelson DeMille (© 2011).
'The Bodyguard,' first published in First Thrills, edited by Lee Child (© 2010).
'The Bone-Headed League,' first published in A Study in Sherlock, edited by Laurie R. King and Leslie S. Klinger (© 2011).
'Dying for a Cigarette,' first published in The Nicotine Chronicles, edited by Lee Child (© 2020).
'The .50 Solution,' first published in Bloodlines: A Horse Racing Anthology, edited by Maggie Estep and Jason Starr (© 2006).
'The Greatest Trick of All,' first published in Greatest Hits, edited by Robert J. Randisi (© 2007).
'I Heard a Romantic Story,' first published in Love Is Murder, edited by Sandra Brown (© 2012).
'Me & Mr. Rafferty,' first published in The Dark End of the Street,

edited by Jonathan Santlofer and S. J. Rozan (© 2010).

'My First Drug Trial,' first published in The Marijuana Chronicles, edited by Jonathan Santlofer (© 2013).

'New Blank Document,' first published in It Occurs to Me That I Am America, edited by Jonathan Santlofer (© 2018).

'Normal in Every Way,' first published in Deadly Anniversaries, edited by Marcia Muller and Bill Pronzini (© 2020).

'Pierre, Lucien, and Me,' first published in Alive in Shape and Color, edited by Lawrence Block (© 2017).

'Public Transportation,' first published in Phoenix Noir, edited by Patrick Millikin (© 2009).

'Safe Enough,' first published in MWA Presents Death Do Us Part, edited by Harlan Coben (© 2006).

'Section 7 (a) (Operational),' first published in Agents of Treachery, edited by Otto Penzler (© 2010).

'Shorty and the Briefcase,' first published in Ten Year Stretch, edited by Martin Edwards and Adrian Muller (© 2018).

'The Snake Eater by the Numbers,' first published in Like a Charm, edited by Karin Slaughter (© 2004).

'Ten Keys,' first published in The Cocaine Chronicles, edited by Jervey Tervalon and Gary Phillips (© 2005).

'The Truth About What Happened,' first published in In Sunlight or in Shadow: Stories

Inspired by the Paintings of Edward Hopper, edited by Lawrence Block (© 2016).

'Wet with Rain,' first published in Belfast Noir, edited by Adrian McKinty and Stuart Neville (© 2014).

De Jack Reacher-thrillers van Lee Child

1 *Jachtveld*
In een stadje in Georgia stapt Jack Reacher uit de bus. En wordt in de gevangenis gegooid voor een moord die hij niet gepleegd heeft.

2 *Lokaas*
Jack Reacher zit in een vrachtwagen opgesloten met een vrouw die beweert dat ze van de FBI is. Hij komt in een heel ander deel van Amerika terecht.

3 *Tegendraads*
Terwijl Jack Reacher een zwembad graaft in Key West, komt een detective allemaal vragen stellen. Later wordt die dood gevonden.

4 *De bezoeker*
Twee naakte vrouwen liggen levenloos in een bad. Het daderprofiel van de FBI wijst richting Jack Reacher.

5 *Brandpunt*
Midden in Texas ontmoet Jack Reacher een jonge vrouw. Zodra haar echtgenoot uit de gevangenis komt, zal hij haar doden.

6 *Buitenwacht*
Een vrouw in Washington roept Jack Reachers hulp in. Haar baan? Ze beschermt de vice-president van Amerika.

7 *Spervuur*
Een ontvoering in Boston. Een politieagent sterft. Heeft Jack Reacher zijn gevoel voor goed en kwaad verloren?

8 *De vijand*
Er was een tijd dat Jack Reacher in het leger zat. Eens, toen hij wachtliep, werd er een generaal dood aangetroffen.

9 *Voltreffer*
Vijf mensen worden doodgeschoten. De man die beschuldigd wordt van moord, wijst naar Jack Reacher.

10 *Bloedgeld*
Het drinken van koffie op een drukke straat in New York leidt tot een schietpartij vijfduizend kilometer verderop.

Lee Child

11 *De rekening*
In de woestijn van Californië wordt een van Jack Reachers oude maten dood aangetroffen. De legereenheid van toen moet weer bij elkaar gebracht worden.

12 *Niets te verliezen*
Jack Reacher gaat de onzichtbare grens tussen twee steden over: Hope en Despair, hoop en wanhoop.

13 *Sluipschutter*
In de metro van New York telt Jack Reacher af. Er zijn twaalf aanwijzingen voor een zelfmoordterrorist.

14 *61 uur*
In de vrieskou staat Jack Reacher te liften. Hij stapt uiteindelijk op een bus die regelrecht op de problemen afrijdt.

15 *Tegenspel*
Een onopgeloste zaak in Nebraska. Jack Reacher kan de vermissing van een kind niet van zich afzetten.

16 *De affaire*
Een halfjaar voor de gebeurtenissen in Jachtveld is Jack Reacher nog in dienst van het leger. Hij gaat undercover in Mississippi om een moord te onderzoeken.

De Jack Reacher-thrillers van Lee Child

17 *Achtervolging*
Na anderhalf uur wachten in de kou van Nebraska krijgt Jack Reacher eindelijk een lift, en komt in heel fout gezelschap terecht.

18 *Ga nooit terug*
Jack Reacher gaat terug naar zijn oude hoofdkwartier in Virginia. Hij wil de nieuwe commandant wel eens ontmoeten – maar ze is spoorloos.

19 *Persoonlijk*
Iemand heeft op de Franse president geschoten. Er is maar één man die dat gedaan kan hebben – en Jack Reacher is de enige die hem kan vinden.

20 *Daag me uit*
Jack Reacher belandt in het vreemde plaatsje Mother's Rest en treft een vrouw aan die wacht op een vermiste privédetective. Weglopen zou tegen Jack Reachers principes zijn.

21 *Onder de radar*
Hamburg, 1996. Jack Reacher is naar Duitsland vertrokken voor een zeer geheime missie. Een jihadistische cel daar heeft een boodschap gekregen: de Amerikaan wil honderd miljoen dollar. Wat is er gaande?

22 *Nachthandel*
Toevallig ziet Jack Reacher een bijzonder sieraad liggen in de etalage van een pandjeshuis, een damesring van de militaire academie West Point. Jack Reacher gaat op zoek naar de eigenaresse...

23 *Verleden tijd*
Jack Reacher maakt een ommetje naar de geboortestad van zijn vader. Daar is geen spoor van een Reacher te bekennen. Wel stuit hij op een dodelijk tijdverdrijf.

24 *Blauwe maan*
Als Jack Reacher een medereiziger redt die slachtoffer dreigt te worden van een straatroof, raakt hij verwikkeld in de meedogenloze machtsstrijd tussen Albanese en Oekraïense gangsters.

25 *De wachtpost*
Jack Reacher loopt in Nashville een groep muzikanten tegen het lijf die zijn afgezet door een gewetenloze cafébaas. Hij voelt zich genoodzaakt in te grijpen...

26 *Liever dood dan levend*
De tweelingbroer van oorlogsveteraan Michaela Fenton is verdwenen in een grensdorpje in Arizona, na contact met een stel gevaarlijke mensen. Tijd voor Jack Reacher om deze ongure types een bezoekje te brengen.

27 *Geen plan* B

Jack Reacher is in Gerrardsville, Colorado wanneer hij getuige is van een ogenschijnlijk dodelijk ongeluk. Maar Reacher ziet wat niemand anders ziet: er was opzet in het spel. Reacher zet de achtervolging in en komt er al snel achter dat de aanval deel uitmaakt van een sinistere samenzwering.

28 *Het geheim*

Chicago, 1992. Reacher wordt gevraagd het leger te vertegenwoordigen in een onderzoek naar een reeks moorden. Dan komt hij op het spoor van een geheim dat al 23 jaar teruggaat.

29 *In de val*

Reacher wordt vastgebonden wakker. Gewond, zijn portemonnee en tandenborstel weg, en hij heeft geen idee hoe hij hier is terechtgekomen. Hij herinnert zich alleen dat hij een lift kreeg, van de weg werd gereden, en dat de bestuurder dood is...

De Jack Reacher-verhalen

1 *James Penney*
Uit wraak steekt James Penney zijn huis in brand nadat hij is ontslagen en hij slaat op de vlucht. Dan komt hij iemand in een groene Chevrolet tegen. Het blijkt Jack Reacher.

2 *Heethoofd*
In een hete zomernacht ziet de bijna 17-jarige Jack Reacher dat een jonge vrouw in het gezicht wordt geslagen. Als dappere zoon van een Amerikaanse marinier besluit hij in te grijpen.

3 *Tweede zoon*
Op de nieuwe school van de 13-jarige Jack Reacher is iets aan de hand. Wat volgt is keiharde actie van de jongen die ooit de beroemdste thrillerheld zonder vaste verblijfplaats zal zijn.

4 *Iedereen praat*
Een rechercheur raakt aan de praat met het slachtoffer van een schietincident. Het blijkt Jack Reacher te zijn. Hij is ernstig gewond, maar een paar uur later is hij verdwenen.

5 *3 kogels*
Jack Reacher doet onderzoek naar de executie van een kolonel. Hoe meer hij te weten komt, hoe sterker hij het vermoeden krijgt dat zijn broer meer met de zaak te maken heeft.

6 *Uit Rusland*
Jack Reacher loopt een bar in New York binnen. Meteen wordt zijn aandacht getrokken door een jong Russisch meisje dat in gevaar lijkt te zijn. Hij is vastbesloten haar te helpen.

7 *Diepgang*
Jack Reacher moet ontdekken wie van de vier MI-stafofficieren vuil spel speelt. Het zijn alle vier vrouwen, en het leidt tot een diepgaand onderzoek.

8 *Geen oefening*
Jack Reacher neemt een lift richting de Canadese grens en strandt in het stadje Naismith. Daar wemelt het opeens van de militairen en niemand lijkt te weten waarom...

9 *Traditie*

Het sneeuwt te hard om door te lopen. Op goed geluk klopt Jack Reacher aan bij een groot huis; daar komt hij als geroepen voor een merkwaardig karweitje.

10 *Eenzaam*

Jack Reacher is in hartje New York. De straten zijn leeg en stil, ongewoon voor zo'n warme zomeravond. Dan houdt een vrouw hem staande. Tijd voor Reachers goede daad van de dag.

11 *Witte kerst*

Het is kerstavond. Jack Reacher wil nog wel wat eten en ergens onderdak, en kiest het motel dat er het goedkoopst uitziet.

12 *Te veel tijd*

Jack Reacher is getuige van een diefstal. Hij gaat mee naar het bureau, maar daar wordt hij gearresteerd wegens medeplichtigheid. Uiteindelijk grijpt hij terug op een van zijn vuistregels.

Alle Jack Reacher-verhalen zijn gebundeld in *Op doorreis*, verschenen als paperback en als e-book. De afzonderlijke verhalen zijn als luisterboek en als e-book beschikbaar.